日本人の誇り

藤原正彦

文春新書

804

はじめに

歴史を書くというのは憂鬱な仕事です。奈良とか平安ならそんなこともないのでしょうが、近現代史、特にそれを俯瞰するようなものを書くとなると大変です。著者の近現代史観がもろに出てしまうからです。近現代史観というのは、現代の政治、経済、社会など我々の周りで起きているほとんどの現象をどう見るかに深く関わっています。すなわち、近現代史をどう見るかを露わにするということは、自らの見識を露わにすることなのです。これは誰でも避けたい仕事です。とりわけ私のように軽薄なのに羞恥心だけは強い人間は是が非でも避けないといけません。

そのうえ近現代史の見方は、日本では大きく右と左のほぼ正反対の見方に割れていて、一方が他方を罵倒するという関係になっています。すなわちどちらの線で行っても半数から批判されることになります。左右は感情的対立にまでなっているので、中間的なことを書いても両派から嫌味以上のことを言われます。自らの見識を露わにしたうえ半数の人々から叱られるのですから、余程の勇気ある人か余程のおっちょこちょいにしかそんな仕事はできません。無論、私は後者です。一介のおっちょこちょいで無鉄砲な数学者が、右でも左でも中道でもない、自分自身の見方を、溢れる恥を忍んで書き下ろしました。戦後六十六年にもなるのに、いつまでも右と左が五分に組んで不毛な歴史論争を続けているという状態は、日本人が歴史を失っている状態とも言え、不幸なことと思ったからです。

歴史を失った民が自国への誇りと自信を抱くことはありえません。この誇りと自信こそが、現代日本の直面する諸困難を解決する唯一の鍵なのです。そして今、未曽有の大震災に打ちのめされた人々の心を支え、力強い復興への力を与えると信ずるのです。

偉そうなことを言う私も、本書により、これまで隠しに隠してきた見識の低さが白日の下にさらされるのではないかと恐れています。しかし私には、強く、賢く、やさしい古女房がいます。彼女は私が本書を執筆中、落ち込みそうになるたびに、「大丈夫、あなたの見識や人格が高いとは誰一人思っていませんから」と力強く励ましてくれました。

春淡き朝、試練に立つ国を想いつつ

平成二十三年三月　　藤原正彦

日本人の誇り ◎ 目次

はじめに　3

第一章　政治もモラルもなぜ崩壊したか　9

低下する政治家の質、腰の定まらぬ外交、頻発する無軌道な殺人事件、勉強しない子供達……もはや対症療法では効果はない。

第二章　すばらしき日本文明　33

世界七大文明の一角を占める日本文明。江戸期に来日した外国人たちは「貧しくも幸福な社会」を目の当たりにして感銘した。

第三章　祖国への誇り　57

家族愛、郷土愛、祖国愛。人間の基本をなすこの三つの愛は、なぜ戦後日本からは失われたのか？　その策略の中心とは何か？

第四章　対中戦争の真実　103

「南京大虐殺」が突如、再登場したのは事件から八年半たった終戦後のことだった。証拠を捏造してまで演出した黒幕とは？

第五章　「昭和史」ではわからない　131
満州事変に対するリットン調査団が出した結論はきわめて妥当。帝国主義時代における「侵略」をめぐる国際常識を解き明かす。

第六章　日米戦争の語られざる本質　177
列強の中核をなす白色人種にとっての悪夢は、日中の連携だった。両国間に楔を打ちこむべくアメリカは周到に罠を仕掛けた……

第七章　大敗北と大殊勲と　209
黒船来航から敗戦後の占領までの百年戦争は、植民地主義や人種差別に対して、日本が独立自尊の精神を貫いてきた歴史の証だ。

第八章　日本をとり戻すために　235
帝国主義や新自由主義などは国民性に馴染まない。未曽有の危機を乗りきるヒントは、震災後の日本人の尊き姿に示されている。

第一章　政治もモラルもなぜ崩壊したか

危機に立つ日本

日本はいま危機に立たされています。リーマンショックや大地震とは関係なく、十数年前から何もかもがうまくいかなくなっています。すべての人々がそれに気付いているのにどうしてよいか分らず暗い気持のまま日常を送っている、というのが現状です。私も月に一度か二度は、誰かに「日本は一体これからどうなるんでしょうか」と憂鬱な表情で尋ねられます。

日露戦争や日米戦争の前ならこんな会話も日本の随所で聞かれたはずですが、今の日本は一応の平和と繁栄の中にいるのです。それなのにどうして大多数の日本人が、日本は全面的ジリ貧の真只中にいると感じているのでしょうか。

経済に目を向けると、バブル崩壊後二十年近くにもなり、その間ありとあらゆる改革を重ねてきましたがどれもうまくいきませんでした。アメリカの忠告に従って進めたグローバル化や構造改革は、世界でも稀に見るほど安定していた社会を荒廃させ日本が大事にしてきた国柄を破壊しただけで、デフレ不況は一向になおりません。万能の杖のごとく喧伝された「規制改革」「小さな政府」「官から民へ」なども今では空しく響きます。

現在の我が国の不景気は二〇〇八年のリーマンショックやそれ以降の円高とは無関係です。二〇〇〇年からリーマンショックまでの八年間、主要国が軒並みGDPにおいて毎年数%の成長をとげている中、日本だけがデフレ不況をかこっていたのです。そのデフレ不況が現在も続いているだけで、日本の不況は主要国のものとは別の理由によるもの、すなわち日本固有の問題が何かあるということになります。円高やリーマンショックの後遺症と誤解してはいけないのです。

その結果、累積した財政赤字は世界一となり、なお増え続けています。一人当りGDPも低下するばかりです。各国から羨ましがられた低い失業率は増え続け五%を超し、自殺者数はここ十三年連続三万人を超え、ついに先進国中で最も自殺の多い国となりました。四十歳以上の男性が全自殺の半数以上を占めています。

対中外交はなぜ弱腰か

政治に目を向けても相変らずのていたらくです。国内的には政治とカネの問題が未だに後進国並みにはびこっているし、外交では腰が抜けたままです。

とりわけ中国にはやられ放題です。尖閣諸島など、歴史的にも国際法的にも日本領であることは明白なのに、領海侵犯したばかりか海上保安庁の巡視艇に体当りまでしてきた中国漁船の船長を、中国の恫喝に屈し釈放してしまいました。体当りしてきた段階で中国漁船を撃沈してもよかったほどのものですが、日本政府首脳は目を泳がせたまま「私はビデオを見ていません」「釈放は検察の判断でされました」などと平気で言い、中国に断固たる抗議もせず「領土問題は存在しません」と蚊の泣くような声で繰り返すばかりです。

すばらしい学習をした中国はこれからも東シナ海でやりたい放題の乱暴狼藉を働き、こちらが逮捕などの行動に出るや謝罪と賠償を世界中に聞こえるようにがなり立て、それでもダメならありとあらゆる報復措置をとることでしょう。台湾の李登輝さんが言うように、中国とは「美人を見たら自分の妻だと主張する国」なのです（「文藝春秋」二〇一一年二月号）。私だって抑えているこのような言葉を平気で言う国なのです。

政府は、中国が尖閣を占領するなどの挙に出れば、米軍が助けてくれるとでも思っているのかも知れません。クリントン国務長官が「尖閣は日米安保の対象」と言ってくれた、とはしゃいでいるようですが、「だから断固守る」とは言っていません。この点をよく注意する必要があります。

日米安保条約は、日本の領土がどこかの国に攻撃されたら直ちに米軍が助けに馳せ参ずるとはなっていないのです。最も大切な第五条は、日本領内でどちらかが攻撃を受けた場合、それぞれは「自国の憲法上の規定及び手続に従って共通の危険に対処するように行動する」とあります。すなわち尖閣が中国による攻撃を受けた場合、米軍が助けに出るためには合衆国憲法にのっとり、まず大統領が軍事力の行使を決意し、ついで連邦議会がそれを承諾しなければなりません。アメリカ議会は世論に従って動きますから、問題は米国世論が尖閣防衛を支持するかどうかということになります。はるか彼方にある日本領の小島のために、アメリカ大陸を射程内に入れた核ミサイルを有する中国と一戦を交えるなどということを米世論が支持するとは、少くとも私には到底考えられないのです。

米軍が助けに出て来るとしたら、日本軍が一カ月ほど必死に戦っても支え切れず、石垣島や宮古島など南西諸島全体までが危うくなった、などという場合だけではないでしょうか。尖閣でいざこざの起きた時はアメリカも肝を冷やし、中国に自重を強く求めたはずです。中国が尖閣占領のような軍事行動に出た場合、米軍が助けに来ないのを日本が知ってしまう可能性があったからです。日米同盟ががたがたになるのを恐れたはずだからです。

集団的自衛権の問題もあります。日米の駆逐艦が並んで走っていて、第三国から日本艦が攻撃されれば自動的にアメリカ艦は助ける義務があるのに、アメリカ艦が攻撃されても日本艦は自分が攻撃されない限り、憲法の拘束により助けに出られないからです。

このような片務的な状態を五十年以上もそのままにして悪びれもしない日本政府の狡猾に米世論が気付いたら、尖閣出兵に反対するどころの騒ぎでは治まらないかも知れません。すなわち安保条約とは欺瞞の条約なのです。日露戦争の時の日英同盟（少くとも第二次と第三次）では、「日英の一方が、挑発の結果でなく、第三国から攻撃を受けた場合は、それがどこであろうと他方は直ちに来て協同戦闘に当る」と明言しています。攻守同盟です。安保条約のごとき「自国の憲法の規定と手続きに従って」などというまやかしはなかったのです。日米双方にとってまやかしなのです。これには両国に責任があります。日本側には「戦力を持たない」という憲法を持ったまま軍事同盟を結ぼうという狡猾、アメリカ側にはまやかしでも何でも米軍基地さえ日本に展開できればいいという狡猾です。

日本は今、自国を自分の力で守ろうともせず、安保条約のまやかしにも気付かぬまま、気付いてもそれを正そうともせず、守られているという幻想の中で安眠しています。周囲のあらゆる国に対し腰を屈《かが》め、揉み手をし、媚笑を浮かべ、風波を起こさぬことだけを心懸けて振舞っています。

アメリカの内政干渉を拒めない

とりわけアメリカに対してはまやかしの安全保障と引換えに屈従を誓っているかのようです。いつ暴落するか分らない米国債を買わされ続け、すでに世界一、二を争う所有額となりながら売ることとさえままならない。なぜかこれについては政府もマスコミも触れようともしない。

「年次改革要望書」などという露骨な内政干渉まで拒めない。郵貯簡保の三百四十兆円をアメリカへ差し出し、アメリカの保険会社の日本進出を援護するために行なわれたような郵政民営化、世界で最も安定していた日本の雇用を壊した労働者派遣法改正、ＷＨＯに世界一と認められていた医療システムを崩壊させた医療改革、外資の日本企業買収を容易にするための三角合併解禁など、みな「年次改革要望書」で要求されたものでした。

かつての日英同盟は日本軍が頼りになったから結ばれました。日英同盟のごとく対等かつ堅固な日米同盟があって初めて、中国の脅しにびくともせず、北朝鮮の拉致日本人を他国に頼らず奪還できる国家ができ上がるのです。アメリカの属国でなく対等なパートナーとなるのです。

自らの国を自分で守ることもできず他国にすがっているような国は、当然ながら半人前として各国の侮《あなど》りを受け、外交上で卑屈になるしかありません。そして国民は何よりも大事な祖国への誇りさえ持てなくなってしまうのです。

劣化する政治家の質

日本を正しい道に戻すにはよい政治家が必要となりますが、大量の小泉チルドレンに続いてさらに大量の小沢チルドレンと、選挙の半年前までは国政など考えたこともないような素人が続々と登場し、質は低下するばかりです。国政に参加したいという志を持つ優秀な人材は全国にいくらもいますが、カネもコネも地盤も持たないがゆえに諦めています。従って政治家の大半は、中には素晴しい人もいますが、相も変らぬ世襲議員、トップに目を付けられた素人、スポーツやテレビで顔の売れた人、美人、美人すぎる人などということになります。

期待を持てそうもない政治家が「政治主導」などと言ってことさらに官叩きに走っています。大衆には、目に余る天下りに対する怒りやエリートそのものへの嫉妬があるので国民受けもよいようです。しかし鳩山内閣の命取りとなった普天間基地問題の無意味な迷走なども、外務省や防衛省の官僚を外し政治主導で突っ走った挙句のことです。

門地貧富を問わず選抜されたトップエリートたる官僚の知識、経験、見識を利用しなくてよいほど我が国に人材の余裕はありません。優秀者にありがちな傲慢狡猾《ごうまんこうかつ》や、出世志向に根差した省益優先などに十分な注意を払いながら、官僚を知恵袋として使わなくてはならないのです。

これまでの政党に飽き足らない人々がどんな政界再編をしてみても、議員の質の全般的向上にはつながりません。どう区分けしても濁った水は濁ったままで、質のよい議員の数は少数のままで増えも減りもしない。官僚とは叩くものではなく、逆に高給を与え、エリートとしての矜持《きょうじ》を持たせ、国家国民のために命がけで献身してもらうものなのです。

少子化という歪み

政治や経済の大崩れに追い打ちをかけるように深刻な少子化が進みつつあります。

二〇〇九年の春、お茶の水女子大学を定年退職した私のために、下は学部四年生から上は五十代半ばまでの、かつてのゼミ生が数十名集まり祝ってくれました。驚いたのは二十六歳から三十六歳までの参加者のうち半数以上が独身ということでした。私の圧倒的魅力を未だに忘れられず結婚できないのかな、とも思いましたが、事実は単に結婚したがっていないのでした。

実は私も三十五歳で当時としては遅い結婚をしました。結婚したがっていなかったわけではなく、むしろ結婚したくてウズウズしていたのですが、勇躍臨んだお見合いがなぜか一引分け四連敗と不調だったのです。日本の女性の男性を見る目が未発達だったのです。アメリカではもてていましたから、私の顔は欧米向きなのかも知れません。

ともあれ今は、女性達はなかなか結婚せず結婚しても産みたがらない。現在、三十歳女性で出産したことのない人が五〇%を超えています。この年齢までに私の二人の祖母はともに四人以上を産み、母は三人を産み、女房には三人目がお腹にいました。晩婚となれば産んでもせいぜい一人か二人でしょう。そのせいもありここ五年間の出生率は一・三四程度で、人口維持に必要なのは二・〇八ですから、ある時から急激な人口減少が始まることになります。

それどころではありません。国立社会保障・人口問題研究所は生涯未婚率を算出しています。現在六十歳の人では五%に過ぎませんが、現在三十歳の人々だと二三%、現在二十歳の女性だと四〇%と予測しているのです。これではそう遠くない将来、日本ははしゃぎ回る子供達の見えない、独身老人で溢れかえった国になります。老後の面倒を見てくれる人のいない人達が大多数となったら、我が国の社会福祉政策は破綻に瀕することになります。人口がゆっくり減少するのは国土の狭小な日本にとってよいことですが、急激なのは経済だけでなく様々な予期せぬ歪みを生むことになるのです。

大人から子供まで低下するモラル

それと同等に深刻なのはモラルの低下です。

モラル低下は、とかく大げさに取上げられる政治家や官僚だけに見られるものではありません。子殺し、親殺し、それに秋葉原事件のような「誰でもいいから殺したかった」という無差別殺人など、少し前までの我が国にはありえなかった犯罪が頻《しき》りに報道されるようになりました。

江戸時代の頃、江戸には百万人を超える人々が住んでいましたが、与力、同心、目明《めあか》しなど警察官の数は数百人程度だったと言われます。それで治安がよく保たれたのです。そもそもこの時代、鍵などというものはお城の門の立派な錠以外では金持ちの土蔵で使われるだけで、庶民が手にすることのないものでした。

こんな話を読んだことがあります。幕末に日本を訪れたあるイギリス人が、お世話になる宿の主人に「これはとても大事なものだから安全な所にしまっておいてくれ」と言って大金の入った包みを渡しました。主人はそれをうやうやしく手に取ると、そのまま部屋の戸棚に入れて戸を閉めたのです。このイギリス人は鍵のない戸棚にしまわれたことをずっと不安に思っていたのですが、二週間の滞在の後に中味を確かめると何一つなくなっていないのでたまげたのでした。彼の知るヨーロッパでもアジアでもあり得ないことだからです。

何世紀にもわたり世界で図抜けていた治安のよさも、かろうじてトップという所まで落ちてきたのです。

子供達のモラルも一斉に崩れ、学級崩壊は日本中の小中学校で広く見られるようになりました。陰湿ないじめによる子供の自殺も普通のこととなりました。

江戸時代初期より三世紀半にわたり恐らく世界一だった子供達の学力は、十年ほど前に首位を滑り落ち、その後も復活していません。二〇〇九年度の調査によると、日本の十五歳は国語読解力が八位、数学が九位となっています。韓国、香港、シンガポール、フィンランドといった国々にさえ大きく水をあけられています。

実施される何年も前から破綻することが明らかだったゆとり教育は、何年もの間、子供達を犠牲にした後、ようやく是正へと舵が切られました。しかしこの脱ゆとり路線も、日教組の支援を受けた民主党政権のために後退しています。子供達の学力低迷はまだまだ続くのです。

それどころか、ケータイ病におかされた子供達は今や、世界でもっとも勉強をしない子供達とさえ言われています。中学校で数学教師をしている私の教え子が言っていました。昼休みに勉強や読書をしたり校庭で元気よく遊ぶような子はまず見当らず、おしゃべりをする子も少なく、ほとんどは黙々とケータイを手にしているそうです。

一生懸命勉強して将来何かをしたい、という志を持つ者さえ、国際統計によると極めて少ない水準にあります。外国へ出て大きな未来に挑戦しようという青年が少なくなったから、アメリカの大学や大学院への留学生はかつてに比べ半減し中国や韓国よりはるかに少なくなっています。青少年の特権とも言える野心を抱くより、身近な幸せに安住し、ケータイやインターネットに興じています。視線が内向き下向きになっています。

学校にはＢＭＷを乗り回しながら給食費を払わないモンスターペアレンツ、病院には治療結果が思わしくないとすぐに病院や医師を訴えるモンスターペイシャンツと、不満が少しでもあれば大げさに騒ぎ立てる人々が多くなりました。人権をはじめとして自らの権利をやたらに振りかざすような行為は、かつては「さもしい」と言われたものですが。

しつけも勉強もできない

政治、経済の崩壊からはじまりモラル、教育、家族、社会の崩壊と、今、日本は全面的な崩壊に瀕しています。一般の国民はこれに気付いており、それぞれの分野でそれぞれの関係者が懸命に立て直そうと努力しているものの、どんな改革もほとんど功を奏していません。

この国の直面するあらゆる困難は互いに関連し、絡み合った糸玉のようになっていて誰もほぐせないでいます。

例えば先ほど「世界一勉強しない子供達」と言いましたが、これ一つ直すのも至難です。原因が錯綜しているからです。「親や先生が子供に甘くなった」「豊かな社会が人々の考え方を変化させた、一種の文明病だ」まではよいとしても、その具体的原因となるともうジャングルです。

「戦後に定められた教育基本法で個の尊重とか個性が謳いあげられすぎた」

「子供の数が少なくなるにつれ過保護の親が増えた」

「体罰を禁じられた教師が強制力そして指導力を失った」

「テレビゲーム、ケータイ、インターネット、ｉＰｏｄと楽しい遊び道具が多く生まれた」

「人間皆平等ということから先生や親の生徒や子に対する関係が、かつての上下関係から友達関係に近いものとなり、先生や親は権威を失った」

「ページ数も内容も薄い教科書など、カリキュラム内容の著しい質低下により子供は家で勉強をしなくても困らなくなった」

「一生懸命勉強していい高校、いい大学へと進んでも、その先にはまた厳しい競争社会が待っていて、安定した収入、ましてや幸福が保証される訳でもない。勉強なんてバカラシー、と考えるようになった」

「あくせく努力して立身出世し国家や社会につくすより、穏やかな心で自分の好きなことをして一生を過ごしたいと考えるようになった」

　どれもが一理あるのでどうしてよいか困ってしまうのです。教育論とは皆が正しいことばかりを言う迷宮なのです。例えば、元々は欧米の思想である個の尊重は現代社会の常識となっていて、日本人の心にも戦後六十五年間を経て深く根を下ろしています。少子化に歯止めをかければ過保護がなくなると言っても、先述のように少子化を食い止めるのは一筋縄ではいかず今はむしろ加速中です。

教師が体罰を取り戻すとなると、自身張り飛ばされたことのない教師が大半となった現在、どんなことが起こるか心配です。また楽しいゲームを学校でならともかく家庭でも禁止するとなると、法的な問題や自由とか人権侵害といった小うるさいことがでてきそうです。「先生は生徒より偉い」とか「親は子より偉い」という当然のことは、今では「人みな平等」に真向から衝突してしまいます。

「学校での勉強をもっと厳しいものにする」というのは当然です。上海の中学を出た後、親の都合で日本の高校に入った中国人の少年は「上海では毎晩十二時までかかるほど宿題が沢山出た。日本は少なすぎて心配なくらい」と言っています（SANKEI EXPRESS、二〇一〇年十二月八日）。

しかし厳しくすることも現状では多くの抵抗にあいます。数年前の中央教育審議会で臨時委員だった私はこう発言しました。

「指導要領に、基礎基本をきめ細かく指導する、とあるのは素晴しい。ただし、『きめ細かく』を『きめ細かくかつ厳しく』にすればもっとよくなると思いますが」すると間髪を入れずある教育学者が「厳しく指導すると子供が傷つく恐れがあります」と高らかに反論しました。

子供を傷つけてはいけない、というのが社会のコンセンサスとなっていて厳しいしつけも厳しい勉強もできなくなっているのです。この子供中心主義こそが、悪評高くたった数年で終わりとなった「ゆとり教育」の生みの親でもありました。

また社会や国家につくすという美徳は、GHQが教育勅語を廃止し公より個を尊重する教育基本法を作成すると同時に消滅の運命を定められたと言ってよいでしょう。「公イコール国家イコール軍国主義」という連想を植えつけることで公へのアレルギーを持たせ、日本を弱体化しようとしたのです。公を否定し個を称揚することはGHQが産み、そしてそれを継承した日教組が育てたものですが、これを変えようとする者はGHQの方針になぜか未だに忠誠を尽しているほぼ全てのマスコミにより、直ちに軍国主義者のレッテルを貼られます。

対症療法に効果なし

かくの如く、「世界一勉強しない子供達」というたった一つの困難にもいくつもの原因が絡み合っていて、どの一つをほぐすことも大変なことなのです。多大な努力を払いどうにか部分的にほぐしたように見えても、大ていは一時的なものに止まり全体の絡みには何の影響も及ぼしません。我が国の直面する危機症状は、足が痛い、手が痛い、頭が痛いという局所的なものではなく全身症状です。すなわち体質の劣化によるものなのです。だから現在行なわれているほとんどの改革、すなわち対症療法はこれという効果を生まないのです。

漂流し沈下しつつある日本はどうなるのか。日本人は今、深淵に沈み行くことを運命と諦めるか、どうにかせねばと思いながら確たる展望もないまままただ徒《いたず》らに焦りもがくばかりです。

山ばかりで資源もない極東の小さな島国でありながら、古くより偉大な文学や芸術を大量に生み、明治以降には驚異の成長をなしとげ、ついには五大列強の一つにまで発展させた、優秀で覇気に富んだ日本民族は一体どうなってしまったのでしょうか。祖国再生の鍵はどこにあるのでしょうか。

真、善、美は同一のもの

一般に多くの困難を解決しようとする場合、一つ一つ着実に片づけて行こうと誰でもまず考えますが、大ていの場合、労力がかかるばかりで成功しません。いかなる個人や組織であろうと、さらにはいかなる国、世界であろうと、多くの困難が噴出しているというのは、それら全てを貫く何か一つの基軸が時代や状況にそぐわなくなっているということを意味します。従ってその基軸を変えることで諸困難を一気に解決する、というのが最も効果的なばかりか容易でもあるのです。そして最も美しいのです。

「美しい」と書きましたが、ここで少し脱線して美しいということの価値について述べてみます。

この世のあらゆる事象において、政治、経済から自然科学、人文科学、社会科学まで、真髄とはすべて美しいのだと私は思っています。何故だかよく分りませんが、私の経験では常にそうなのです。万物の創造主である神がそのように宇宙を創り給うた、とは言いたくないのですが。となると真髄にたどり着くには美しいものを探せばよい、ということになります。逆に言うと、美しくないものは真髄ではないのです。

奇異に聞こえるかも知れませんが少くとも自然科学では「美」が絶対です。数学者が数学を創る時、実用に役立てようという考えはまず頭にまったくありません。美しい理論にしよう、美しい定理にしようと常に心がけます。証明の道筋については常に美しいものが真理への道筋なのです。そのうえ、歴史的に見ると、美しい理論や定理ほど後世になって実用にも役立つのです。論理的に正しいというだけで醜い定理もありますが、そういうものは真髄を射ていないので、時代とともに埋もれて行く運命にあります。

事情は物理学でも同じです。十数年前にプリンストン高等研究所の理論物理学者、エドワード・ウィッテン博士と話したことがあります。彼のやっていることは超弦理論といって、万物を切り刻んで行くと究極的にはスーパーストリングと呼ばれる震える弦のようなものになる、という理論です。私は彼に尋ねました。

「あなたの理論が正しいと実験や観測によって確かめられるのはいつごろになりますか」

「五百年たっても無理かも知れません」

驚いた私は尋ねました。

「そんな理論を正しいとあなたが信ずる根拠は何ですか」

「美しいからです。あれほど数学的に美しい理論が真理でないはずがないからです」

ニュートンは、「宇宙は神が数学の言葉で書いた聖書だ。神が書いたのだから美しくないはずがない」という先入観により、ひたすら美しい理論を求め天体力学を創始しました。「真理は美しい」という一人よがりの確信が、あれだけの大理論を生む原動力だったのです。

一方、現代の天才ウィッテン博士は、「美しいから真理のはずだ」とまで考えたのです。両者を合わせると、真理と美はほぼ同一ということになります。

それだけではありません。二十世紀の巨星と言ってよい数学者のヘルマン・ワイル博士は、数学、物理に大きな足跡を残しただけでなく哲学者ハイデガーと何度も議論するなど哲学の専門家でもあり、また文学にも造詣の深い人でした。彼の次男マイケル・ワイル氏に二十年ほど前、ワシントンにある彼の自宅で会ったことがあります。マイケル・ワイル氏を紹介してくれたのは、友人の美人バイオリニスト、マユミ・ザイラーさんです。彼女が拙宅に泊りに来た時、こう言ったのです。

「そう言えば私の友達のマイケル・ワイルという元外交官は、お父さんが数学者とか言ってたわ。知っている？　何とかワイルという数学者」

「まさかヘルマン・ワイルじゃないだろうね」

「そうそう、ヘルマンとか言ってたわ」

「何！　それはもの凄く偉い数学者だよ」

私は仰天しながら言いました。

「そんなこと言ったってどの位偉いか分らないわよ」

「音楽で言ったらバルトークかマーラーといった所だ」

「何！　そんなに偉いの」

今度は彼女が仰天したのです。このマイケル・ワイル氏が私にこう語りました。

「父は常々、真、善、美は同じ一つのものの三つの側面にすぎない、と強調していました」


ヘルマン・ワイルは、私達夫婦の媒酌をして下さったフィールズ賞受賞者小平邦彦教授の学問上の師でもあります。ワイルの言葉をその息子の口から聞いた時、「真、善、美の三つが大切とはよく言われることだが、それらが同一とはまた大胆な主張だなあ」と思っただけで大した関心を払いませんでした。真イコール美については数学者の端くれとして直ちにピンときたのですが「善」というのが当時の私には理解不能だったのです。

とは言え、巨星の言葉として、以来、この哲学的な言葉は大きな謎のように私の脳裏にひっかかっていました。かなり時がたってから、日本人が道徳上の善悪を宗教や論理ではなく、「汚いことはするな」などといった美醜によって判断してきたことに気付いた時、ヘルマン・ワイルの言ったことが単なる哲学的独り言ではないと納得したのでした。「真、善、美は同じ一つのもの」というのは万物の本質を突いた恐るべき指摘なのです。美しいものを目指すことが万事において真へ達する道であり善に到達する道なのです。

根本的解決こそ美しい

ある一つの困難を解決したように見えても、入り組み錯綜した全体を貫く基軸がそのままである限りは、一時的にうまく行くだけか、あるいは他の新しい困難が代りに生まれるかで、結局は何も解決されないのが普通です。散らかり放題の部屋の一部分をきれいにしても短期間で元通りに戻ってしまうようなものです。

実は部屋をきれいに清掃しても解決になりません。二度と散らからないような仕組みにすることが根本的解決となります。美しい解決なのです。一つ一つを丹念に解決しようとするのは美しくないのです。全体を貫く基軸を変えて一気呵成にすべてを解決することが美しいのです。そして大事なことは、部分を直すより全体を一気に直す方が易しいということです。

第二章　すばらしき日本文明

世界七大文明の一つ

それでは我が国は戦後、どのような基軸で動いて来たのでしょうか。それを考えるには日本人とはどんな民族であったか、という所から始めなければなりません。

ハーバード大学の国際政治学者サミュエル・ハンティントン教授は、その一九九〇年代のベストセラー『文明の衝突』の中で世界の文明を七つに分けました。中華文明、ヒンドゥー文明、イスラム文明、日本文明、東方正教会文明（ロシアなど）、西欧文明、ラテンアメリカ文明の七つです。

学者が何かを分類しようとする時、なるべく簡明なものにしようとします。複雑な区分けはもはや分類と呼べないからです。当然、分類を考える誰もが当初、日本という小国だけに存在する日本文明を、中華文明に組み入れようとします。分類は学者によって二十一個、十六個、八個などとさまざまですが、どの学者も、日本文明を独立したものという結論に至るのです。しかも日本文明以外は多くの国にまたがるのに日本文明は日本だけのものです。一万年も前の縄文時代からあった土着の文明に、西暦二世紀頃から中華文明が混じり、十六世紀中頃からは西欧文明の影響を受けたものの、主に日本という孤島で独自の発達をとげた文明、とみなさざるを得ないからです。明瞭に中華文明に含まれる朝鮮半島などと異なり、日本文明と中華文明は大きく隔っているのです。

日本文明以外にもエチオピア、モンゴル、チベット、タイなど孤立した文明はありますが、ハンティントンは高度に発達したものだけを対象としたため七つに絞られたのです。

日本人は古来、新しい進んだ文明に触れると、繊細で知的な民族性だけにすぐに自分達のものと比べ劣等感を抱き、それを見習い取り入れてきました。漢字も仏教も西欧の技術もそうでした。ところが不思議なことに、その劣等感をバネに、それら新文明に必らず日本特有の色を加え、すでにある自分達の文明と融合させた独自のものに作り変えて行くのです。そうやって進化と洗練を繰り返してきた結果が日本文明なのです。

漢字が来れば間もなく万葉仮名、片仮名、平仮名を発明し、また漢文の訓読などという大奇手を放ち、漢文を日本文に取りこんでしまうのです。

仏教も飛鳥時代に伝来して間もなく、古来よりある神道との調和を目指した神仏習合という離れ技により融合が図られ、平安時代には本地垂迹《ほんじすいじゃく》説が広がり神仏習合は理論的にも整備されました。他国においてなら恐らく仏教派と神道派との間に猛烈な宗教戦争が始まる所でしょうが、我が国では聖徳太子の「和をもって尊しとなす」がそのまま実行されたのです。明治維新の頃には廃仏棄釈などという不幸で野蛮なことも一時期行なわれましたが、民族精神でもある「和」によって治まりました。だからこそ、文部科学省の調査によると、現在、我が国における宗教の信者数は、自分を仏教系と思う人と神道系と思う人を合わせると二億を超えるのです。見事な数字です。

さらに遣唐使の終了した平安末期の頃から鎌倉時代にかけては法然、親鸞、日蓮といった大天才を輩出し、日本独自の仏教が創始されました。また禅や儒教は中国では庶民にまでは広がりませんでしたが、日本では鎌倉時代に武士道を通じ武士階層に広まりました。平和な江戸時代になると、山鹿素行などによりこの武士道にはさらに深く儒教が取り入れられ、武士道精神にまで洗練されました。これは講談、読本、謡曲、歌舞伎、能といった大衆文芸や芸能を通じ国民一般に伝わりましたから、ついには国民精神にまでなって行ったのです。

儒教のベースとなる四書五経は藩校で武士の子弟に学ばれたのは当然ですが、庶民の通う寺小屋でもしばしば教えられました。こうして四書五経は、中国では主に学者や科挙を通った一部エリート官僚のものであったのに、日本では国民の財産となったのです。

先進中国のものであっても無批判に模倣したわけではありません。中国式の君主専制は「和」に反するので取り入れなかったし、科挙や宦官《かんがん》も取り入れませんでした。馬の去勢は中国だけでなくユーラシア大陸で広く行なわれていたのに、日本では血は不浄と見られていましたし「惻隠《そくいん》」にも反するので取り入れられませんでした。日本人特有の美感に照らし合わせ取捨選択と換骨奪胎を繰り返しながら独自のものとしていきました。

こうして世界七大文明の一翼を担う、堂々たる日本文明が完成したのです。

成熟した江戸末期

それでは日本文明とは一体どんな文明でしょうか。これは難しい問題です。とりわけその中で暮らしている日本人にとっては見えにくい。空気の中で暮らしている人間が空気の存在に気付いたのは、十七世紀にガリレオ・ガリレイの弟子のトリチェリが真空の存在を発見した時です。人類誕生から百万年以上もかかっています。

自らの文明は自らは認識しにくく、異質の文明との比較によってようやく見えるものと言ってもよいでしょう。幸いにして、幕末から明治にかけて来日した欧米人を中心とする多くの者が様々な見聞録を残してくれました。

彼等は長い航海の後、アジアの各地に寄りながら日本までやって来て、「日本人はなぜこうも他のアジア人と違うのか」ということに驚愕しつつ、日本とは何かについて自問自答を繰り返しました。多くの欧米人が日本を訪れ、新鮮な目で日本を見つめ、断片的であろうと、個人的印象に過ぎないものであろうと、多くの書物に残してくれたことは実に幸運でした。彼等の来日が、江戸時代、すなわち二百数十年にわたる鎖国と平和の中で日本文明が成熟を見た時代、の直後だったということはなおさら幸運でした。

彼等の言葉をいくつか、労作『逝きし世の面影』（渡辺京二著、平凡社ライブラリー）から引用し、それを参考にしつつ考えてみましょう。

日米修好通商条約の締結のため日本を訪れたタウンゼント・ハリスは、日本上陸のたった二週間後の日記にこう記しています。

「厳粛な反省――変化の前兆――疑いもなく新しい時代が始まる。あえて問う。日本の真の幸福となるだろうか」

若い頃に貿易商として東南アジア中をめぐった五十代の白髪の外交官は、「衣食住に関するかぎり完璧にみえるひとつの生存システムを、ヨーロッパ文明とその異質な信条が破壊」することを懸念したのです。

オランダ語に堪能でハリスの秘書兼通訳として活躍したヒュースケンはこう記しました。

「この国の人々の質樸な習俗とともに、その飾りけのなさを私は賛美する。この国土のゆたかさを見、いたるところに満ちている子供たちの愉しい笑声を聞き、そしてどこにも悲惨なものを見いだすことができなかった私は、おお、神よ、この幸福な情景がいまや終わりを迎えようとしており、西洋の人々が彼らの重大な悪徳をもちこもうとしているように思われてならない」

オランダの貧しい家庭に生まれ新天地アメリカになけなしの金を手に一家で移住したという生い立ちをもつ、二十代半ばの青年ヒュースケンのもらした慨歎《がいたん》と詠嘆でした。彼はこの五年後に尊皇攘夷派の浪士に襲われ殺されました。

また日英修好通商条約のため来日したエルギン卿の秘書オリファントは「個人が共同体のために犠牲になる日本で、各人がまったく幸福で満足しているように見えることは、驚くべき事実である」と記しました。自由なくして幸福なし、という欧米の絶対的基準が染みこみ、個人の自由こそが最も尊いものと信じているオリファントにとって、自由なくとも幸福、というのは、一足す一は三という世界に入ったようなカルチャーショックだったのでしょう。

「貧乏人は存在するが貧困は存在しない」

多くの欧米人がいろいろの観察をしていますが、ほぼすべてに共通しているのは、「人々は貧しい。しかし幸せそうだ」ということです。だからこそ、明治十年に動物学者として東大のお雇い教授となり大森貝塚を発掘したアメリカ人モースも、「貧乏人は存在するが貧困は存在しない」と言ったのです。欧米では一般に裕福とは幸福を意味し、貧しいとは惨めな生活や道徳的堕落など絶望的な境遇を意味していました。だから、この国ではまったくそうでないことに驚いたのです。

明治六年に来日しそのまま三十八年間も日本に暮らし屈指の日本研究者となったイギリス人バジル・チェンバレンはこう記しています。

「この国のあらゆる社会階級は社会的には比較的平等である。金持は高ぶらず、貧乏人は卑下しない。……ほんものの平等精神、われわれはみな同じ人間だと心底から信じる心が、社会の隅々まで浸透しているのである」

イギリスの詩人エドウィン・アーノルドは明治二十二年に来日し、ある講演で日本についてこう語りました。

「日本には、礼節によって生活を楽しいものにするという、普遍的な社会契約が存在する」

インドのデカン大学の学長をしたことのあるこの五十七歳の詩人はさらにこうまで言いました。

「地上で天国あるいは極楽にもっとも近づいている国だ。……その景色は妖精のように優美で、その美術は絶妙であり、その神のようにやさしい性質はさらに美しく、その魅力的な態度、その礼儀正しさは、謙譲ではあるが卑屈に堕することなく、精巧であるが飾ることもない。これこそ日本を、人生を生甲斐あらしめるほとんどすべてのことにおいて、あらゆる他国より一段と高い地位に置くものである」

ここまで褒められると、褒められることが何より好きな私でも照れてしまうほどです。無論ここには詩人らしい誇張も含まれていることでしょう。

しかし幕末から明治にかけて来日した実に多くの人々が表現や程度の差こそあれ、類似の観察をしているのです。

このような賛辞に触れた多くの日本人は私と同様、今の日本の体たらくを考えるにつけ、かつての日本は凄い国だったのだと素直に喜び、祖国への誇りが湧き上がるのを感じ、また衿を正すことでしょう。しかし世の中は素直な人ばかりとは限りません。実際、多くの現代知識人がこのような観察を重要なものと思わないのです。軽視しようとするのです。

彼等にとって江戸時代とは「士農工商という厳しい身分制度に基づいた封建制度の下、自由も平等も人権もなく庶民は惨めな境遇の中であえいでいた」時代です。明治時代とは「帝国主義に基づく猛烈な富国強兵策と不平等条約のもと庶民は困窮していた」時代です。彼等は「封建制度は悪」という明治以来の日本を支配した欧米流の歴史観を信奉し、「富国強兵は侵略戦争につながった諸悪の根源」という戦後史観に縛られているのです。

十年ほど前の大学院博士課程の入試を思い起こします。なぜか私は歴史学専攻の志願者の口頭試問に駆り出されました。専門家以外の者が少なくとも一人は加わるという規定があったからです。

志願者はイギリス東部のある田舎町の歴史を研究していました。この町は羊毛産業により十六世紀にはロンドンに次いでイギリス第二の都市となっていました。私は志願者にこう質問しました。

「この町がその後、一世紀余りで凋落して行ったのはどうしてですか」

「いろいろ細かい原因はありますが結局、この町が特定の人々により運営されていて民主主義が根付いていなかったのが根本と思います」

「江戸時代は民主主義ではありませんでした。にもかかわらず外国が黒船で脅すまで二世紀半も平和と繁栄を享受していましたが」

　学生は返答につまってしまいました。「封建主義は悪、民主主義こそが理想」という流行りの考えに毒され、歴史を学ぶには自由で柔軟な発想こそが求められるということを忘れているようでした。

　確かにヨーロッパをはじめ世界の封建制度とは、ほぼおしなべて専制君主や領主、貴族などが人民を圧制下におき農民を農奴のごとくこき使い、搾り取れるだけ搾り取るというものでした。国民のほとんどを占める農民はいかなる希望も持てず、どん底の闇を這いずり回るような生活をしていました。欧米流の歴史学を学んだ現代知識人にとって、幕末から明治初期にかけて来日した外国人の観察は、自分達の学問的推測とかけ離れた矛盾に満ちたものに映るのです。

　そこで、日本の封建制度が他国の封建制度とは似ても似つかないものだったとは考えずに、多くの見聞録にあるおびただしい讃辞は単なるオリエント趣味の発露に過ぎず、珍しい骨董品をほめる程度の他愛ないものと見なすのです。あるいは、そのように美しい日本は、当時西欧で流行していたジャポニズム、という色眼鏡を通して形成された美しき幻影にすぎず、日本や日本人の実像を示すものではないと考えます。また人によっては、そういった観察の底には抜き差しがたい欧米優位思想があり、日本を称えるのは飼い犬を愛撫するようなもので日本蔑視の一形態にすぎない、とまで考えるのです。無論、見聞録を残した欧米人に人種偏見があったことは否めません。しかしそれで片付く話でしょうか。

自己懐疑は知的態度か

実は江戸末期に来日した欧米人も同じく、日本の封建制度を見て衝撃を受け、歴史学の常識との矛盾を感じ悩んだのです。しかし彼等には目の前の現実という「動かぬ証拠」がありました。だから日本の封建制度の異質を認めざるを得なかったのです。

現代知識人には「動かぬ証拠」が目の前にないからいつまでも懐疑の目を向けるのです。そして何より、知識人にとって、公の場で自分とか自校、自社、そして自国を肯定的に語ること、すなわち自己肯定は無知、無教養、無邪気をさらすことであり、自己懐疑こそがとるべき知的態度なのです。

実は理系知識人は必らずしもそうでありません。理系では独創が命で、そのためには自己肯定が不可欠だからです。自己肯定から生まれる強い意志がなければ世界で初めてのことを成しとげることはとうていできないのです。ところが博識は尊ぶもののさほど独創を尊ばない文系では、知識人の大半が、自己懐疑的であるか、少くともそういうポーズをとるのです。そのうえ、文系知識人は一般に、物事を「白」とか「黒」と断ずるのは危険、「灰色」と言うのは安全、ということを自己防衛本能として有しています。「灰色」というのは半身の構えであり攻撃や批判をかわすのに好都合な体勢なのです。そして歴史観を語るのは私のようなおっちょこちょいを除き、ほぼ常に文系知識人です。

理系の人間は、専門の学問が難しいうえ、進歩が日進月歩で世界中と競争になっているため、歴史を勉強したり文学を愉しんだりする時間が例外的な人を除きほとんどとれません。研究の第一線を退いてから初めて他分野の書物に向かうことができるという状況ですから歴史観を語るまでには至らないのです。自己懐疑と灰色志向という二つの防衛本能は、当然ながら歴史の専門家が歴史を語る時にとりわけ強く現れます。そこで現代史の教科書においては、白は灰色に、灰色は黒に近い灰色に叙述されるのです。

実はこのような態度は現代知識人に固有のものではありません。英詩人エドウィン・アーノルドが先述の、いささか褒めすぎとも思える絶賛を述べた翌朝の日本の各紙における論説は見物でした。アーノルドが日本のやりとげた政治、経済、工業、軍備の躍進に触れず、芸術、自然、人々のやさしさとか礼節といったものばかりを賞讃したのは、日本蔑視ではないかと憤ったのです。新聞を初めメディアをリードするのは昔も今もほぼすべて、物事を斜めから見て自己懐疑へと持ち込む文系知識人なのです。

先述のジャパノロジスト、バジル・チェンバレンはイギリス人を相手に次の趣旨のことを書いています。

「明治になって教育を受けた日本人のいるところで、あなたが心の底から感嘆する日本の、我々にはなじみのない古く美しい事物について詳しく説いてはいけません。……一般的に言って、教育ある日本人は彼らの過去を捨ててしまっています。彼らは過去の日本人とは別の人間、別の者になろうとしているのです」

同様のことは、明治九年に東大医学部創設期のお雇い教師として来日し日本人と結婚、三十年近くにわたり日本に滞在したドイツ人医師ベルツも書いています。

「現代の日本人は自分自身の過去については、もう何も知りたくはないのです。それどころか、教養ある人たちはそれを恥じてさえいます。教養ある紳士達に日本の歴史について尋ねると、ある人は『いや、何もかもすっかり野蛮なものでした』と答え、ある人は『われわれには歴史はありません。われわれの歴史は今からやっと始まるのです』と断言したのです」

チェンバレンの母国イギリスやベルツの母国ドイツより、はるかに古い歴史を持つ日本の明治教養人がそう言ったのです。

明治期にせよ終戦後にせよ、新しい価値観に立って進もうとする時、とかく日本人は過去を完全に捨て去り身軽になって猛進しようとする性向があるような気がします。終戦後の大ヒット「青い山脈」に「古い上着よさようなら、さみしい夢よさようなら」とあるようにです。無論それはある意味で仕方ないことでしょう。新しい時代の潮流にのり国民一丸となって突き進むことも時には大切だからです。

しかしかつては、そのようなバランス感覚を欠きがちな日本人の国民性に歯止めをかける精神、例えば古くは「和魂漢才」、明治期には「和魂洋才」などがありました。ところが戦後のアメリカ化の過程では今日に至るまでついぞ「和魂米才」は耳に入りませんでした。あたかも「米魂米才」を理想として目指しているかの観があったのです。

幻影と現実

日本人がどう解釈しようと、幕末から明治にかけて来日した外国人の言葉によると、日本は少くとも江戸時代から明治中期にかけて、恐らく歴史上日本以外の世界のどこにも存在しなかった、貧しいながら平等で幸せで美しい国を建設していたのです。

こういった見聞録に対する現代知識人の冷笑主義に私は与《くみ》しようとは思いません。百歩譲ってその言い分を認め、そのような印象が単なる幻影だったとしても、少くとも当時来日し見聞録を残した欧米知識人のほぼすべてに、そのような幻影を抱かせるだけの現実が、日本にあったことは間違いないのです。

もちろん褒め言葉ばかりではありません。

昭和初期の東京に住んだイギリス人のサンソム夫人は日本人が大好きな人でしたが、「大きな音を立てて吸い物をすすり飲み終えると大きな幸せそうなあくびをする」と呆れたり、「乗物の中に沢庵漬けの匂いが漂っていると気分が悪くなりすぐに降りてしまう」とか「日本人は切符売場などで列をきちんと守らない」と不快に思ったようです。彼女は「日本人にとっては真実を述べることより相手を喜ばせることの方が大事です。お世辞の連発ではなくてさり気なく相手を喜ばせようとする」と日本人の本性を見破ってもいます。一八五四年に下田に来たペリー艦隊のある通訳は、銭湯での混浴や町で普通に売られている春画を見て、「私が見聞した異教徒諸国の中では、この国が一番みだらかと思われた。……この民族の暗愚で頽廃《たいはい》した心を、啓示された真理の光が照らし得るよう神に望み、祈る」と日記に書きました。

翌々年に下田に来て同じ風景を見た初代駐日領事のタウンゼント・ハリスは、五十代という年齢のせいかもう少し落着いていて、「私は何事にも間違いのない国民が、どうしてこのように品の悪いことをするのか、判断に苦しんでいる」と当惑しました。もっとも後にある温泉を訪れたハリスは、風呂の中で白く美しい肌をした女性から何の戸惑いもない明るい声で「オハヨー」と言われ考えを改めたようです。理解できることです。

幸福、満足、正直

少数ながら当然悪口もあるのですが、来日したほとんどの欧米知識人に、日本への美しい幻影を抱かせることとなったその現実とは一体何でしょうか。

明治四年に来日したオーストリアの長老外交官ヒューブナーはこう断言しています。

「封建制度一般、つまり日本を現在まで支配してきた機構について何といわれ何と考えられようが、ともかく衆目の一致する点が一つある。すなわち、ヨーロッパ人が到来した時からごく最近に至るまで、人々は幸せで満足していたのである」

貧しいながら人々の顔に表れた幸せと満足感が余りにも顕著だったから、多くの来日外国人がこの想像しにくい状況に瞠目《どうもく》し書き記したのです。今日、当時に比べ千倍以上の外国人が日本を訪れますが、想像しにくい状況は何もないからほとんど誰も見聞録を書かないのです。

無論、幸せとか満足感に基準はありません。当時の欧米は産業革命の真只中でありその歪みも出ていました。十九世紀半ばに著わされたエンゲルスの『イギリスにおける労働者階級の状態』（岩波文庫）を読めば当時の労働者の悲惨が分かります。それが一九〇〇年代になっても改善されていないのは、ジャック・ロンドンの『どん底の人びと―ロンドン1902』（岩波文庫）やジョージ・オーウェルの『パリ・ロンドン放浪記』（岩波文庫）を読めば分かります。惨憺たる下層社会、都市の不潔や混沌が伝わってきます。

訪日欧米人の胸に、近代工業社会への懐疑や失われた平和で長閑《のどか》な日々への郷愁があったことは確かでしょう。彼等の描く日本人が、その頃の自国の煤煙に覆われた不潔な都市に住む疲れ果てた労働者達、何の夢も持ちえず土に這いつくばったまま一生を終える農民達と比べての印象であったことは致し方ありません。ただそれを認めたとしても、日本人の表情に表われた幸せや満足感をかくも多くの人々が一斉に見間違うなどということがあり得るでしょうか。

人々が健康そうで礼儀正しく正直だったこと。鍵のない部屋や引き出しから何も盗まれなかったこと。街頭や農村で見た人々が子供から人足、車夫に至るまで皆、冗談を言い合っては笑い興じていたこと。これらは現実ではないのでしょうか。封建大名による圧政のもと、苛斂誅求《かれんちゆうきゆう》にあえいでいたはずの当時の農村で、人々が貧しいながら皆幸せそうにしていた、と多くの外国人が言う時、「苛斂誅求にあえいでいた」の真偽を疑うことが先決ではないでしょうか。

イギリスの駐日初代総領事となったオールコックは、狡猾な幕府官僚との折衝などを通し封建日本を嫌い、日本をエデンの園のように描くのは誤りと信じ、『大君の都』では忌《き》憚《たん》なく批判をしています。それでも農村を見て「これが圧制に苦しみ、苛酷な税金をとり立てられて窮乏している土地だとはとても信じがたい。ヨーロッパにはこんなに幸福で暮らし向きのよい農民はいない」と記しましたが、これは幻だったのでしょうか。日本をよく見て歩き十三代将軍家定に謁見までしたハリスが「将軍の服装は質素で、殿中のどこにも金メッキの装飾はなく、柱は白木のままで、火鉢と私のために用意された椅子とテーブルの他には、どの部屋にも調度の類が見当たらなかった」と書いたのはハリスの幻だったのでしょうか。彼が「日本には富者も貧者もいない。正直と質素の黄金時代を他のどの国よりも多くここに見出す」と書いたのは錯覚だったのでしょうか。彼等の言うことを疑うことより、皆貧しかったのにどうして幸せそうだったのか、を問う方が本質的なのではないでしょうか。これについては後述しようと思います。

「近隣諸国条項」という難問

世界のどこの地域でもなしとげられなかった、かくも素晴らしい社会を作った日本人の、卓越した特性をなぜ日本人は誇りに思わないのでしょうか。日本以外の国であったら、世界が目をみはった日本文明に関し、歴史や国語の教科書で高らかに謳い上げるはずです。国際社会の中で、自国のアイデンティティーを保つためどの国民にとっても必要な、「祖国への誇り」を醸成するために活用するはずです。

現代日本の歴史教科書では無論、ほとんど一切言及されておりません。教科書は次々に起きた事件を追い政治、経済、文化を語るだけで、庶民が幸せだったのかどうか、という最も大切なことにはほとんど触れません。先ほど述べましたように教科書を書く歴史家が、自由と民主主義のない封建時代の民を惨めとしか捉えず、また自己肯定に陥るのを忌み、できるだけそれを避けようとするからです。自らを自慢することはしたくない、という日本人の謙遜もそこには働いています。幸不幸という主観的なことを、歴史学という社会科学の中で触れることへの躊躇もあるでしょう。これは経済学者やエコノミストがGDPとか富の増大には真剣に取り組むものの、幸せについては触れないのと似ています。

それならまだ分るのですが理解し難いのは、祖国への誇りを育くむと軍国主義につながりかねない、戦前の愛国教育と同じではないのか、などと心配したり、近隣諸国条項を考慮したりすることです。

近隣諸国条項とは一九八二年（昭和五十七年）に起きた不思議な事件により生まれたものです。その年、新聞やテレビが、「歴史教科書の検定において文部省が『大陸侵略』という言葉を『大陸進出』に書き改めさせた」と報道し、文部省と政府を攻撃しました。すぐさま中国政府は不快感を表明しましたが、身に覚えのない文部省が調べたら「侵略」から「進出」に書き改められた教科書は一つもありませんでした。文部大臣も国会でそう答弁しました。

ところが不可解なことにその後になって、当時の宮沢喜一官房長官が「今後の教科書検定は近隣諸国の感情に配慮する」という談話を発表したのです。そしてこれは教科書検定基準として定められました。世界のどこにもない奇妙な、と言いますか奇想天外な基準です。

これがきっかけでその後、何かがあるたびに日本は中国や韓国や北朝鮮に「歴史認識」を問われることになりました。この三国は「歴史認識」が黄門様の印籠でありこれを口にしさえすれば直ちに日本が謝罪し、外交上優位に立てることをこの時学習したのです。そもそも、国家が謝罪するなどということは、私の知る限り日本だけです。主権国家というものは、戦争で降伏し賠償金を払っても、謝罪という心情表明はしないものです。それは自国の立場を弱くし、自国への誇りを傷つけるからです。そしてなにより、もはや弁護できない私たちの父祖を否定し冒瀆《ぼうとく》することになるからです。

第二次大戦やそれ以前の歴史を外交に持ち出す国は私の知る限りこの三国以外、世界中のどこにもありません。半世紀以上も前のことを持ち出しても普通は手を広げ肩をすくめられるだけで、どんな効果ももたらさないからです。だからインド、ミャンマー、シンガポールなどはイギリスに「歴史認識」を迫りませんし、ベトナムはフランスに「歴史認識」を問いません。独ソにとことん虐げられたポーランドだって同じです。世界中でそれを口にするのは、一九八二年以降の中国、韓国、北朝鮮だけなのです。日本が謝罪と譲歩で応える世界唯一の国だからです。一九九〇年以降はほとんど毎年、政府が謝罪し続けています。それにより関係は改善するどころかむしろ悪化しています。

近隣諸国条項とは平たく言うと「中国、韓国、北朝鮮を刺激しかねない叙述はいけない」という政治的なものです。子供の学ぶ歴史教科書において、歴史的客観性より「事を荒立てない」を優先するという滑稽な代物なのです。ただし宮沢官房長官が血迷った結果、と一方的に片付ける訳にもいきません。その後三十年近くもこの条項が存続しているという事実は、国民の多くがこれに違和感を持っていないことを意味するからです。だから問題は深刻なのです。

第三章　祖国への誇り

若者は「恥ずかしい国」となぜ言うのか

二年前に、私はお茶の水女子大学を退職しました。セクハラ退職ではありません。堂々たる定年退職です。定年前の十数年間、私は専門の数学以外に、一年生対象の読書ゼミを週に一コマか二コマ担当しておりました（拙著『名著講義』〈文藝春秋〉に実況中継されています）。私はそのゼミでよく新入生にこう尋ねてみました。

「日本はどういう国と思いますか」

二十歳くらいの彼女達の答えには、表現の差こそあれ、「恥ずかしい国」「胸を張って語れない歴史をもつ国」などと否定的なものが多かったのです。

「明治、大正、昭和戦前は、帝国主義、軍国主義、植民地主義をひた走り、アジア各国を侵略した恥ずべき国。江戸時代は士農工商の身分制度、男尊女卑、自由も平等も民主主義もなく、庶民が虐《しいた》げられていた恥ずかしい国。その前はもっと恥ずかしい国、その前はもっともっと……」

こう習ってきたのです。長く暗い時代を経た後、戦後になってやっと日本は自由平等と民主主義の明るい社会を築くことができた、という歴史観です。そう理解することでやっと大学合格にまで漕ぎつけたのです。先日、共学のある高等学校で講演したところ、生徒の感想文が送られてきました。まったく同じことを信じていた彼等の感想文には、「生まれて初めて自分の国が誇らしく思えてきました。そして身体の底から力が湧いてきました」とか「これまで学校や家で習ってきたことは何だったのかと思いました。これからは自らたくさん本を読み自ら考えるようにしようと決心しました」といったものがいくつもあったのです。

日本中のほとんどの若者が自国の歴史を否定しています。その結果、祖国への誇りを持てないでいます。意欲や志の源泉を枯らしているのです。

自国のために戦うか？

私はゼミ学生達の、かくもひどい国に生まれた不幸に同情した後、必らず質問することにしていました。

「それでは尋ねますが、西暦五〇〇年から一五〇〇年までの十世紀間に、日本一国で生まれた文学作品がその間に全ヨーロッパで生まれた文学作品を、質および量で圧倒しているように私には思えますがいかがですか」

　これで学生達は沈黙します。私はたたみかけます。

「それでは、その十世紀間に生まれた英文学、フランス文学、ロシア文学、をひっくるめて三つでいいから挙げて下さい」

　彼女達は沈黙したままです。私自身、「ベーオウルフ」と「カンタベリー物語」くらいしか頭に思い浮かびません。

　私は彼女達にさらに問いかけます。

「この間に日本は、万葉集、古今和歌集、新古今和歌集、源氏物語、平家物語、方丈記、徒然草、太平記……と際限なく文学を生み続けましたね。しかも万葉集などは一部エリートのものではなく、防人《さきもり》など庶民の歌も多く含まれています。それほど恥ずかしい国の恥ずかしい国民が、よくぞ、それほど香り高い文学作品を大量に生んだものですね」

　理系の学生がいればさらにたたみかけます。

「世界中の理系の大学一年生か二年生が習う行列式は、ドイツの生んだ大天才ライプニッツの発見ということになっていますが、実はその十年前、元禄に入る以前の天和三年に関孝和が鎖国の中で発見し、ジャンジャン使っていたものですよ。『解伏題之法』（一六八三年）という書物の中にあります」

彼女達は完全に沈黙します。啞然としてから少しだけ背筋を伸ばします。毎春の授業風景でした。

自国を卑下するという世界でも稀な傾向は私の学生のみに見られるものではなく、統計的にもあらわれています。世界数十カ国の大学や研究機関が参加する「世界価値観調査」によりますと、十八歳以上の男女をサンプルとした二〇〇〇年のデータですが、日本人は「自国を誇りに思う」の項目で世界最低に近いのです。「もし戦争が起こったら国のために戦うか」では「ハイ」が一五％と図抜けて世界最低、ちなみに韓国は七四％、中国は九〇％です。恥ずかしい国を救うために生命を投げ出すことなどありえないのです。無論、世界中が日本人のように戦う意志を失ったらすぐに平和が達成されるのですが、残念なことにそのようになるはるか前に日本がなくなってしまう、そして世界はそのまま、というのが悲しい現実なのです。

戦後、日本国の生存を握るものは？

いかにして日本人は祖国への誇りをかくも失い、周辺諸国の顔色を覗《うかが》って生きて行くほど卑屈となったのでしょうか。江戸時代までは、日本人が国家を意識することは元寇などの時を除いてほとんどありませんでした。明治から大東亜戦争までは帝国主義時代の真只中で、国家を意識しないわけにはいきませんでしたし、植民地化されるのを防ぐためには祖国愛に基づいた国民の一致団結が必要ですから、国民は強い、時には狂信的な誇りを持っていました。祖国への誇りを失ったのは戦後のことなのです。

終戦と同時に日本を占領したアメリカの唯一無二の目標は、「日本が二度と立上ってアメリカに刃向かわないようにする」でした。それは国務省、陸軍省、海軍省合同で作成した「日本降伏後における米国の初期の対日方針」にも明らかです。

そのために日本の非武装化、民主化などを行ないましたが、それに止《とど》まりませんでした。第一次大戦後、二度と立上がれないほどドイツを非武装化し弱体化したのに、たった二十年でヨーロッパ最強の軍隊を作ってしまったのをよく知っていたからです。日本人の家を燃やし破壊してもその「基軸」を壊さない限り、いつかこの優秀で、勇敢で、誇り高く、白人に膝まづく素直さに欠けた唯一の有色人種、日本人が強力な敵国として復活することを知っていたからです。特に一九四四年（昭和十九年）秋に始まった神風特攻隊や硫黄島、沖縄と続く理性を超越した鬼気迫る抵抗に震撼した直後だけに、なおさらでした。

GHQすなわちアメリカはまず新憲法を作り上げました。GHQ民政局の局員が集まり一週間の突貫工事で作ったのです。憲法の専門家はいませんでした。まず前文に「平和を愛する諸国民の公正と信義に信頼して、われらの安全と生存を保持しようと決意した」と書きました。アメリカは他国の憲法を自分達が勝手に作るというハーグ条約違反、そしてそれ以上に恐るべき不遜、をひた隠しにしましたが、この文章を見ただけで英語からの翻訳であることは明らかです。「決意した」などという言葉が我が国の条文の末尾に来ることはまずありえないし、「われら」などという言葉が混入することもないからです。いかにも日本国民の自発的意志により作られたかのように見せるため、姑息な偽装を施したのですが、文体を見れば誰の文章かは明らかです。そのうえ、「平和を愛する諸国民の公正と信義に信頼して」と美しく飾ってみても、残念なことに「国益のみを愛する諸国民の権謀術数と卑劣に警戒して」が、現実なのです。

ともあれこの前文により、日本国の生存は他国に委ねられたのです。

第九条の「陸海空軍その他の戦力は、これを保持しない。国の交戦権は、これを認めない」は前文の具体的内容です。自国を自分で守らないのですから、どこかの国に安全保障を依頼する以外に国家が生き延びる術はありません。そして安全保障を依頼できる国としてアメリカ以外にないことは自明でした。すなわち、日本はこの前文と第九条の作られたこの時点でアメリカの属国となることがほぼ決定されたのです。この憲法が存在する限り真の独立国家ではありません。中国に「アメリカの妾国」と馬鹿にされても仕方ないのです。

ただし、この第九条はアメリカに押しつけられた、と一方的に非難する訳にもいきません。日本がそれを押し戴いたとも言えるからです。憲法原案を論議した一九四六年（昭和二十一年）六月の衆議院委員会で、共産党の野坂参三氏は「戦争には侵略戦争と防衛的な戦争がある。侵略戦争の放棄とする方がもっと的確ではないか」という趣旨のまったく正当な質問をしました。吉田首相はこれに対し、「近年の戦争は多く国家防衛権の名において行なわれた。故に正当防衛権を認めることが戦争を誘発する」と答えたのです。そして投票の結果、賛成四百二十一票、反対八票の圧倒的多数でこの憲法は可決されました。八票のうち六票は共産党議員でした。国会の意志は国民の意志です。それほど国民は戦争に倦《う》んでいたのです。こうして万国の保有する自衛権を日本だけが失なったのです。

天皇、漢字、教育勅語

アメリカはさらに念のため第一条で、国民の心の拠り所であった天皇を元首からただの象徴にしました。皇室典範を新たに定め、十一宮家を皇籍離脱させました。これでは万世一系を保つのがいつか極めて困難になることは目に見えていました。国民の求心力の解体を目論んだのです。

日本文化の根幹とも言うべき漢字にも手をつけました。いきなり漢字全廃では混乱を生ずるので、第一段階として当用漢字を導入しました。使用漢字を大幅に制限したのです。日本の文化を弱体化させ、愚民化する目的でした。植民地住民を愚民化するというのはアングロサクソンの常套手段でした。住民が賢くなると植民地というものの不条理に気づき統治者に反逆するからです。また世界から絶讃されていた教育勅語を廃止して作った教育基本法では、個人主義を導入し公への奉仕や献身を大事にするという日本人の特性を壊しました。日本の底力を減殺する狙いでした。これでもまだ足りませんでした。

「罪意識扶植計画」とは何か

実はアメリカが日本に与えた致命傷は、新憲法でも皇室典範でも教育基本法でも神道指令でもありません。

占領後間もなく実施した、新聞、雑誌、放送、映画などに対する厳しい言論統制でした。終戦のずっと前から練りに練っていたウォー・ギルト・インフォーメーション・プログラム（WGIP＝戦争についての罪の意識を日本人に植えつける宣伝計画）に基づいたものでした。この「罪意識扶植計画」は、自由と民主主義の旗手を自任するアメリカが、戦争責任の一切を日本とりわけ軍部にかぶせるため、日本人の言論の自由を封殺するという挙に出たのです。これについては江藤淳氏の名著『閉された言語空間』（文春文庫）に余す所なく記されています。

この「罪意識扶植計画」は、日本の歴史を否定することで日本人の魂の空洞化をも企図したものでした。ぽっかりと空いたその空地に罪意識を詰めこもうとしたのです。そのためにまず、日本対アメリカの総力戦であった戦争を、邪悪な軍国主義者と罪のない国民との対立にすり替えました。三百万の国民が米軍により殺戮され、日本中の都市が廃墟とされ、現在の窮乏生活がもたらされたのは、軍人や軍国主義者が悪かったのであり米軍の責任ではない。なかんずく、世界史に永遠に残る戦争犯罪、すなわち二発の原爆投下による二十万市民の無差別大量虐殺を、アメリカは日本の軍国主義者の責任に転嫁することで、自らは免罪符を得ようとしたのです。

人道を掲げるアメリカにとって、人類初の、人類唯一の、原爆投下は申し開きのできない悪夢中の悪夢なのです。この二発で、アメリカはあのヒットラー、スターリン、毛沢東という冷酷な殺人鬼と同列に置かれるからです。日本軍は真珠湾攻撃でも軍事目標以外のものをいっさい標的としませんでした。アングロサクソンが日本の立場にあったなら必ずアメリカへの復讐を誓うでしょうから、日本の復讐を恐れ、徹底的に言論を封殺し、軍部や軍国主義者を憎悪の対象に据えた、という側面もあるでしょう。

一九九九年末、アメリカのAP通信社は、世界の報道機関七十一社にアンケートを求め、二十世紀の十大ニュースを選びました。五位がベルリンの壁崩壊、四位が米宇宙飛行士による月面歩行、三位がドイツのポーランド侵攻、二位がロシア革命、そして何と第一位になったのが広島・長崎への原爆投下でした。これだけの非人道的行為を、息も絶え絶えの日本に行なったのです。

一千万人を救うために二十万人を

アメリカの言い分は「ポツダム宣言を承諾せず徹底抗戦を続ける日本に降伏を促し、犠牲者が米兵だけで百万、両国合わせて一千万にも上るだろう本土上陸作戦を避けるために仕方なかった」というものです。一千万を救うために二十万を殺したという理屈です。

私がこれまで原爆について話したことのある何人かのアメリカ人もみな類似のことを言っていました。二〇〇九年にアメリカのある大学の行なった世論調査では六一%のアメリカ人が「原爆投下は正しかった」と答えたそうです。六十五年が経ってもこうなのです。驚きです。時系列で述べてみましょう。

まず一九四四年九月のルーズベルトとチャーチルの会談で、開発中の原爆を日本に投下することが決定されました。ドイツはなぜか対象から外されたのです。翌一九四五年の五月には、ルーズベルト大統領の指示で編成され秘密の投下訓練をユタ州で行っていた実行部隊が、サイパン島のそばのテニアン島に移動しました。同年七月十六日、米英ソによるポツダム会談の始まる前日、ルーズベルト大統領の後継者であるトルーマン大統領のもとにニューメキシコでの原爆実験成功のニュースが伝えられ、大統領は大喜びしました。そのたった九日後の七月二十五日には、トルーマン大統領の承認を得て陸軍参謀総長代理のトーマス・ハンディ大将から「八月三日以降、広島、小倉、新潟、長崎のいずれかに原爆投下をせよ」との命令が下されました。そして米英中（後にソ連が加わる）によるポツダム宣言が発表されたのはその翌日の二十六日です。鈴木貫太郎首相がそれを「無視する」

と発表したのはポツダム宣言の二日後の二十八日でした。要するに、「日本がポツダム宣言を拒否したから」どころか、ポツダム宣言の発表以前に原爆投下命令は下されていたのです。

またトルーマン大統領は、日本が中立条約を結んでいるソ連を通し終戦へ向けた和平工作をしていることを、スターリンから耳にしていました。暗号解読によっても知っていました。国体の維持、つまり天皇の地位さえ約束すれば疲弊し切った日本は降伏する、ということを元駐日大使で知日派のグルー国務次官から五月の段階で聞いてもいました。日本の徹底抗戦によりこれこれの犠牲が出るだろう、というのも嘘なのです。

それではなぜ実験で成功したばかりの原爆を大慌てで落とすことになったのでしょうか。ルーズベルトの急死により一九四五年四月に後を継いだトルーマンは、共産主義に理解をもっていた前任者と違い大の共産主義嫌いでした。彼はその年の二月に米英ソ間で行なわれたヤルタ会談での秘密協定を初めて知りびっくりしたのです。ドイツ降伏後三カ月以内にソ連が日ソ中立条約を一方的に破棄し対日参戦すること、その代りに満州にある日本の権益、南樺太、千島列島はソ連に引き渡す、というものです。この通りになったらソ連は極東および占領後の日本に大きな影響を及ぼすことになります。ぜひソ連の参戦前に日本を降伏させねばならない、と考えました。実際、ドイツ降伏（一九四五年五月八日）後のヨーロッパでは、ソ連が東ヨーロッパで共産党政権を次々に作るなど勢力を急速に拡大していました。そのためにはできるだけ早期の原爆投下が望ましい。

さらに戦後の米ソの覇権争いを予想した大統領やバーンズ国務長官は、原爆の恐るべき威力を示しソ連を威嚇しておくことが重要とも考えました。何も都市の上に落とさなくても威力を示すことができる、とアインシュタインを初めとする科学者達が反対しました。アイゼンハウアー将軍さえ七月二十日に、トルーマン大統領やスティムソン陸軍長官に「日本はすでに敗北しており原爆はまったく不必要」と進言していました。大統領は聞く耳を持ちませんでした。ドイツ降伏は五月八日ですから三カ月目は目前に迫っています。「なるべく早く投下しなくては」とトルーマンは焦りました。この新型爆弾の現実の威力を知りたいとも強く思っていました。ところが、日本がポツダム宣言をあっさり受諾してしまえば投下のチャンスはまったくなくなります。そこで日本がすぐに受諾しないよう、当初はポツダム宣言の草案にあった「国体維持」の言葉をわざわざ削除して投下準備のための時間をかせいだのです。

見事にトルーマンのぎりぎりの曲芸は成功しました。八月の六日と九日に原爆を落とすことができ、同八日にソ連が参戦し、十四日には日本がポツダム宣言を受諾しました。その後になってスターリンは樺太と千島を占領し、さらには北海道北半分への進攻まで要求しました。トルーマンはこれを拒絶し、朝鮮半島の三十八度線以南への進攻も阻止したのです。核の威力でした。

要するに原爆投下は、専らその実際の威力実験および終戦後のソ連との覇権争いを念頭に入れたものだったのです。怒りを通り越して嘆息の出るような話です。

宣伝による洗脳が始まった

戦争責任を日本の軍部と軍国主義者へ作為的に転嫁するため、すなわち自らの行為の正否を問われないようにするためアメリカは、早くも真珠湾攻撃と同じ日にちの一九四五年十二月八日より「太平洋戦争史」なる宣伝文書を作成し日本の各日刊紙に連載を始めました。翌一月には学校における歴史、地理、修身の授業を中止させ、四月からは歴史教科書としてこの「太平洋戦争史」を使わせました。

さて、日本の降伏は無条件降伏だったのでしょうか。日本はポツダム宣言という条件付き降伏をしたのであって、無条件降伏をしたのではありません。だからこそポツダム宣言の第五条に「吾等の条件は左の如し」と書いてあり、以下の第六条から第十三条まで降伏の条件が記されているのです。例えば、第十条には「……言論、宗教および思想の自由ならびに基本的人権の尊重は確立せらるべし」とあり、最後の第十三条は「全日本国軍隊の無条件降伏」です。日本国政府は条件降伏、軍隊は無条件降伏、というのが正しい内容であり、すべて無条件降伏のドイツとはまったく違います。

にもかかわらずアメリカはポツダム宣言をふみにじり、あたかも全面無条件降伏をしたかのごとく傍若無人の振舞いをしました。余りにもその傲慢が堂に入っていたので日本人までが皆、「日本はアメリカに無条件降伏をした」と勘違いしてしまいました。

一九四八年（昭和二十三年）頃、私の住んでいた中央気象台官舎から歩いて十分ほどの、御茶ノ水駅のそばの橋で、酔っ払った米兵達が通りがかりの日本人を次々に神田川へ放り投げるという事件が起こりました。ところがそこを通りかかった気象台勤務の柔道四段の猛者がその光景を見て憤慨し、米兵を片端から川の中へ投げ捨てたのです。

父が夕食時にそんな話を顔を真赤にして話した時、まだ幼なかった私は「すごいなあ、強いなあ」と大喜びで手を叩きました。すると母が「でも日本はアメリカに無条件降伏したんだから何をされても文句は言えないんだよ」と言ったのです。父も私も口を尖らせたままつぐんでしまいました。父も無条件降伏と思っていたのでしょう。私も後に学校でそう習いました。

無条件降伏なら何でもありなので、彼等はしたいことは何でもしました。人間を作る教育に手をつっこむということまで行いました。つっこむに止まらず、メディアを利用しての洗脳教育にまで取り組んだのです。

「太平洋戦争史」は教科書として使われたばかりか、ＮＨＫラジオでも「真相はこうだ」として、一九四五年十二月九日から十週間にわたり毎日曜の夜八時から三十分というゴールデンタイムに、ラジオの他に何の娯楽もない国民に向かって放送されました。しかも番組の前後に、並木路子や淡谷のり子といった人気歌手による歌番組や徳川夢声の「千夜一夜譚」などを配し聴取率を高めることまでしました。

敗戦から四カ月足らずで人々が混乱と虚脱の中、空きっ腹をいやすため闇米を買い出しに出かけていた頃です。私の父も窓から出入りするような満員の買出し電車に乗って千葉へイモを求めに行ったりしました。

「真相はこうだ」に続き「真相箱」が同じ時間帯で十カ月近く放送されました。いかにもＮＨＫの自主製作のように見せかけ、ＧＨＱ製作であることを隠しました。内容は徹頭徹尾、満州事変から終戦までの日本軍国主義者の欺瞞、国民への背信、とりわけ南京事件やバターン死の行進など日本軍の残虐をあることないこと、これでもかこれでもかと繰り返しました。

バターン死の行進とは、一九四二年四月に、フィリピン進攻作戦で捕虜となった米比軍兵士八万人を、炎天下、食料や水も十分に与えないまま六十キロ歩かせ一万人近い死者を出した事件です。六十キロというのは大した距離ではありませんが、日本軍には使用できるトラックもなく、予想以上の数だったこともあり歩かせることになったのです。何カ月も山にこもっていた末に降伏した米兵は、降伏した時点で疲弊困憊《こんぱい》だったうえ熱帯病のマラリア、デング熱、赤痢などにかかっている者も多くいました。死者の多くはマラリア感染者と言われています。日本軍にも食料がなかったのです。虐待の意図はありませんでしたが、結果として捕虜多数が死んだのは、日本の責任に違いはありません。

そして原爆投下や本土無差別爆撃の罪を日本軍国主義者に転嫁し、人道的でやさしいアメリカが善良な日本国民を軍国主義者の魔の手から救い出しにやって来たのだと吹聴したのです。

初めの頃は、ラジオを聴いた多くの国民が反感を覚えましたが、毎週続くうちに少しずつ「もしかしたら本当かも知れない」と思うようになりました。「悪いのは軍部や軍国主義者であり、善良な国民は欺されていただけ」という手法や、真実に嘘を効果的に混ぜるという巧妙な手法をとったからです。嘘であると自信を持って言える一般市民は当然ながらほとんどいませんし、嘘と証言できる当事者も意見を公表することができませんでした。先述のように言論の自由がなかったからです。そもそも、真実を知っている軍や政府の関係者は、敗戦のショックと、祖国防衛という責任を果たせなかったことによる悔恨、失望、落胆から立直れず、今さら申し開きをしてどうなるものでもないと思い黙っていました。

検閲によるメディア統制

こうして、一方的なアメリカの見解、途方もない善悪二元論が日本人の脳に少しずつ忍びこんでいきました。アメリカによる洗脳が効果を表し始めたのです。これがうまく行けば、日本人の間に渦巻いていた対米憎悪のエネルギーがアメリカでなく、自分達を欺してきたということで軍部や軍国主義者に対する憎悪エネルギーに変わって行くだろう。そしていつか日本人は、日本軍の残虐性と好戦性の源ということで、自ら伝統や「基軸」の破壊に向かうだろうとの深い読みでした。

実に見事な読みです。日本人などではとても考えつかない壮大な戦略です。さすが長期戦略の天才アングロサクソンです。この戦略に基づいたマインドコントロールでした。GHQは同時に「神道指令」を発令し、神道の特別扱いを禁止するなど神道を弾圧することで皇室の伝統、すなわち日本人の心の支えを傷つけようとしました。「罪意識扶植計画」を着実に実行するため私信までを開封しました。私自身、一九四八年の頃でしたか、セロテープで開封口を閉じられた父あての手紙を幾度となく見ています。私がセロテープなるものを見たのはこれが初めてでした。中央気象台の単なる高層課長補佐にすぎない父のものまでそうでしたから、ほとんど手当り次第に開封されていたのでしょう。

一九四五年九月に日本占領を開始した米軍を前にして、日本は静まり返っていました。天皇陛下が「堪え難きを堪え忍び難きを忍び」と仰せられましたから、黙って耐えていましたが、心の中では同胞を大量に殺戮し、国土を焦土としたアメリカへの当然の憎悪に燃えていました。アメリカ人は、テロを行なうことも小石を投げることとさえしないこの冷静さを、野蛮でずる賢い日本人による罠ではないかと疑っていました。そこで一般人の手紙まで開封し、陰謀の有無や対米憎悪の深さを計測していたのです。

その結果、まことに当然のことですが、日本人に戦争への悔恨の念はあっても罪悪感はなく、アメリカへの憎悪は十分にあることが分かりました。だからこそ、「罪意識扶植計画」を徹底する必要を感じたのです。

そこで雑誌新聞などの事前検閲も行ないました。占領軍や合衆国に対する批判、極東軍事裁判（東京裁判）に対する批判、アメリカが新憲法を起草したことへの言及、検閲制度への言及、天皇の神格性や愛国心の擁護、戦争における日本の立場や大東亜共栄圏や戦犯の擁護、原爆の残虐性についての言及、などが厳しく取締られ封印されました。細かくは、米兵と日本人女性との交際への言及なども対象となりました。日本人数千人の協力の下で、この極秘裏の検閲は数年間にわたりなされたのです。識字率が異常に高く、他人を疑うことを知らないお人好しの日本人には効果絶大でした。

また、違反した新聞や雑誌は発刊停止となりました。実際、一九四五年九月十五日に朝日新聞は次のような鳩山一郎の談話を載せました。

「〝正義は力なり〟を標榜する米国である以上、原子爆弾の使用や無辜《むこ》の国民殺傷が病院船攻撃や毒ガス使用以上の国際法違反、戦争犯罪であることを否むことは出来ぬであろう」

降伏後一カ月ですから実に立派です。さらに翌々日には米兵の日本における暴行事件に関して批判的な記事を載せました。この結果九月十八日から二十日まで朝日新聞は四十八時間の発行停止となったのです。

朝日新聞に続き九月十九日にはジャパンタイムズの前身である「ニッポンタイムズ」が、社説を事前検閲に提出しなかったとして二十四時間の発行停止になりました。

十月一日には「東洋経済新報」が押収されました。社長石橋湛山の次の記事を載せたからです。

「米国は啻《ただ》に我が国の有形的武装解除を行ふのみならず、又精神的武装解除を行ふべしと称してゐる。彼等は日本に平和思想を植ゑ附ける使命を果さうと云ふのである。併《しか》しそれには米軍乃至《ないし》米国自体が其の使命に応《ふさ》はしき行為者たることが肝要だ。さもなくば何《ど》うして彼等は他国民の精神にまで立入り得ようか。米国は曾《かつ》て無謀な移民法の制定に依り、日本の平和主義者を打倒し、軍国主義者の台頭を促した。今次の極東戦争は茲《ここ》に其の遠因の一が存する。之れは米人自身の認める見解だ。切に同国朝野の反省を希望する所である」。

移民法とは一九二四年にアメリカで制定された法律で、日本からの移民をほぼ全面禁止するものです。

リベラリスト石橋湛山はこの目の覚めるような論を、降伏後一カ月半の占領下で書いたのです。彼は戦時中も一貫して軍部を批判していました。その胆力にはただ恐れ入るばかりです。戦後間もない頃にはまだ鳩山一郎や石橋湛山のような人が日本にはいたのです。次々に発行停止という厳しい現実を見て、新聞、雑誌、ラジオ等は生き残る術を迅速に学習しました。驚くべきことにほんの数カ月もしないうちに、戦前の皇国万歳からアメリカ万歳や容共路線に急転回したのです。はしっこい日本人は豹変したのです。日本人の最もいやな点です。

公職追放は二十五万人以上

罪意識扶植計画に協力的でない人間は公職追放されたり圧力を加えられたりしました。公職追放とは政府や民間企業の要職につくことを禁止することを意味します。GHQは早々と一九四六年（昭和二十一年）の一月には公職追放令を作り、戦争犯罪人、戦争協力者、大政翼賛会などの関係者が追放され、翌年にはさらに、戦前、戦中の有力企業の幹部なども対象になりました。

「お天気博士」として国民に親しまれていた私の大伯父の藤原咲平は戦前から東大の物理

学教授や中央気象台長をしておりましたが、一九四七年に公職追放になりました。

気象は軍事作戦に密接に関係します。大伯父は日本人として全力をあげて軍部に協力しました。アメリカ本土を世界で初めて爆撃することとなった風船爆弾の研究まで積極的にしました。千葉や茨城の太平洋岸で上空に放たれた直径十メートルの爆弾付き風船は、ジェット気流に乗って数日後に米本土に達し、そこで落下するように設計されていました。大伯父はこれがジェット気流のある高度一万メートルを保って飛ぶように工夫したのです。風船爆弾は一万個近く作られ、そのうちの一割ほどが米本土に到達したようです。向うでは原因不明の山火事や人間の殺傷というケースまで発生しましたから、米政府はパニックを防ぐため極秘にしたほどです。

先述の鳩山一郎、石橋湛山も追放されました。何しろ衆議院議員の八割が追放され、政財界、言論界の有力者の大半が消えたばかりか、追われた者は合計二十五万人以上にまで達しました。この結果、日本の中枢を占めていた保守層が去り一気に若返りましたが、その穴を埋めた者は必然的に左翼系やそのシンパが多くなりました。特に学校などでは顕著でした。

罪意識扶植計画に協力することは就職口を得ることであり、生き延びることであり、出世につながることとなったのです。この意識は瞬く間に日本中に広がりました。

大伯父は追放され台長宿舎を出されましたが、研究への意欲はまだ強く、中央気象台内で月一回行なわれるセミナーに出席していました。こういう時は必らず官舎内の私の家に立寄り、母、四歳の私、二歳の妹の四人で昼御飯をとりました。他に食べる場所さえなかったのです。母に面倒をかけまいと咲平はいつもアルマイトの弁当箱を持ってきましたが、決まって麦入り飯の上にはバターが塗られ、軟く煮た何かの骨がその上にのっていました。それに砂糖をまぶし母の作った味噌汁とともに食べていました。四歳の私が不思議そうに「そんなもの美味しいの」と問うと「美味しいし栄養もあるんだよ」と言って頭をなでてくれました。しばしば私に「一日に二つずつ米粒を食べるネズミは一年でいくつ食べるか」などと算数の問題を出してくれました。解いてほめられるのがうれしくて、私はいつも大伯父の来るのが楽しみでした。

でも長く続きませんでした。気象台の幹部の中に、「気象台の大功労者とはいえ、公職追放された人間が気象台に出入りしていることがＧＨＱに知られたらどんな制裁を受けるか分かったものではない」という意見が出てきたからです。空気を読んだ咲平は一年ほどで出席をしなくなりました。研究の道も断たれた大伯父は失意の中で胃ガンを患い、一九五〇年に亡くなりました。

話が脇道にそれましたが、申し上げたかったのは、気象台の人間ばかりでなく、日本中の大多数の人間が公職追放令が出て一年もたたないうちに、GHQの意向に逆らわないよう自主的に努力し始めたということです。画期的成功を収めた「罪意識扶植計画」は、七年近い占領が終り、公職追放令が廃止された後でも日本人に定着したままとなりました。

洗脳とは真に恐るべきもので、最初は生存のため仕方なく罪意識扶植計画に協力していたのが、次第にそれに疑いをはさまない姿勢こそが戦争への懺悔《ざんげ》、良心と思いこむようになったのです。疑いをはさむ人は軍国主義者とか右翼というレッテルが貼られることになりました。そしてこの史観は、モスクワのコミンテルン（ソ連共産党配下の国際組織）のものでもありましたから、その影響下にあった日教組がそのまま教育の場で実践しました。

そのためこの史観は今日に至るまで脈々と、多くの善良な日本人の精神の奥深くに、気づかぬうちに根を張っているのです。

「国家自己崩壊システム」

ＧＨＱが種をまき、日教組が大きく育てた「国家自己崩壊システム」は、今もなお機能しています。

特に教育界、歴史学界、マスコミというＧＨＱによる締め付けのもっとも厳しかった部分においてです。歴史教科書を書く人、歴史を教える人、歴史を国民に広める人がそういった部署の本流にいますから、このシステムは容易には壊れないのです。東京裁判への批判、新憲法の批判、検閲により言論の自由を奪い洗脳を進めたアメリカへの批判、愛国心の擁護、原爆や無差別爆撃による市民大量虐殺への批判、などは、すべて正当でありながら、公に語られるのは稀です。無論、教科書に載ることもありません。歴史学を専攻する知人は「そういった批判を口にする者が歴史学科で就職を得ることは今でも難しい」と語っています。

アメリカの言論操作はついに「歴史的事実」になったのです。だから批判が最大メディアであるテレビで語られることもほとんどありません。誰もが軍国主義者とか良心のない人とは思われたくないからです。公然たる批判は慎む、というのは属国のマナーでもあるのでしょう。

失われた日本人としての誇り

八十八歳になる建築家の池田武邦氏は、京王プラザホテル、新宿三井ビル、徳島県庁舎、ハウステンボス等の設計で中心的役割を果たした建築界の大御所です。

彼は海軍兵学校を出て海軍士官となってから、ずっと軽巡洋艦「矢矧《やはぎ》」に乗っていましたが、一九四五年四月の沖縄戦で、戦艦「大和」とともに海上特攻に出撃し撃沈され九死に一生を得ました。重油だらけの海で六時間も立泳ぎをしていて駆逐艦「冬月《ふゆづき》」に救助されたのです。私の義父と旧制湘南中学で同級だったこと、御子息の奥様に私の愚息が小学校で音楽を教わったこと、などもありお目にかかったことがあります。

彼は昭和三十年代に小学生だった御子息から「お父さんはなんで戦争になんか行ったの」と詰問され、それ以降、戦争のことを一切話さなくなり、話すようになったのは八十歳を過ぎてからだったそうです。測的室長としての彼の仕事は、目標とする敵艦の位置、進路方向、速度などを計測する役目でした。敵の猛攻の中、肉片が壁に飛び散る室の中で、血にそれほど染まっていない乾パンを拾って食べた話、戦死した海軍兵学校同期の親友が水葬される前夜に遺体の隣りで一緒に寝た話、艦全体が家族のようだったこと、など印象深いものでした。

特に感銘を受けたのは、航空隊が壊滅状態で空からの援護がないことを知りつつも、出撃することに怖《お》じ気《け》づくことはなかったこと、敵の猛攻により沈没が決定的となっても、散りぎわでは一秒でも長く浮いていようと全員必死だったことなどでした。上品なユーモアを混じえながら穏やかに、そして淡々と語る池田氏の顔を見ながら、こういう人達が祖国を守り家族を守るために戦ったのだ、こういう人達が片端から戦死してしまったのだ、との思いが胸に迫りました。

もう一つ思い出すことがあります。四年ほど前に見たあるテレビ番組は、五十歳前後の俳優が八十九歳の父親とベトナム沖の島を訪れるものでした。陸軍大尉だったこの父親はB級戦犯として戦後五年間この島に収監されていました。

ここで俳優が戦争に参加した老いた父親を高圧的に非難し始めたのです。「戦争は人殺しだよね。悪いことだよね」と、父親の言葉に耳を貸さず幼稚な言い分をがなり立てる様に私はいささか驚きました。

これは戦後、軍人だった父親のいる多くの家庭で見られた光景ではないでしょうか。「日本がすべて悪かった。日本軍人は国民を欺して戦争に導いた極悪人だ」という洗脳教育から大多数の国民がまだ解き放たれていないのです。そして「戦争は自衛のためであろうとすべて悪だ」と考え続け言い続けることこそが、平和を愛する人間の証しと信じているのです。

日本の軍人達は、戦場で涙ながらに老いた父母を思い、自分の死後に遺される新妻や赤子の幸せを祈り、恋人からの手紙を胸に秘め、学問への断ち難い情熱を断ち、祖国に平和の訪れることを願いつつ祖国防衛のために雄々しく戦いました。それが今、地獄さながらの戦闘で散華《さんげ》した者は犬死にと嘲《あざけ》られ、かろうじて生き残った者は人殺しのごとく難詰されるという、理解を絶する国となってしまったのです。祖国のために命を捧げた人に対し感謝の念をこめ手を合わせて拝むべきものであるのに、戦争の罪を一身に背負わせているのです。

このような状態で日本人としての誇りが生まれようもありません。

原爆投下への正当化

「罪意識扶植計画」にあるマスコミ向け禁止条項はすべて不当、と述べましたがなぜでしょうか。

まず、事前検閲は、ポツダム宣言第十条に「言論、宗教および思想の自由ならびに基本的人権の尊重は確立せらるべし」とありますから、明々白々な違反です。占領下ということで米国憲法を拝借したとしても、合衆国憲法修正第一条に「信教、言論、出版、集会の自由」がありますから違反です。またアメリカ自らがやっつけ仕事で作り上げた日本国憲法に照らしても、第二十一条には、「集会、結社、言論、出版の自由」の他、ごていねいに検閲の禁止まで謳われています。ほとんど冗談のような話ではないでしょうか。

いや、憲法や条約にあろうがなかろうが、自由と民主主義を標榜するアメリカが、自由の中でも飛び切り大切な言論の自由を奪うというのですから、言語を絶する暴挙なのです。

私は、拙著『国家の品格』（新潮新書）の中で詳述したように、自由、平等、民主主義といったものに懐疑を抱いています。人間の幸せと社会の平穏のためほとんどすべての自由はある程度束縛せざるを得ないと考えていますが、言論の自由、とりわけ権威とか権力を批判する自由だけは、地球上のすべての人間が無条件で保障されなければいけないものと思います。まさにその自由が奪われたのです。

広島と長崎への原爆や日本中の都市に対する無差別爆撃が、人道上の罪であることは言を俟《ま》ちません。これは一九〇七年に結ばれたハーグ条約の、第二十二条「無制限の害敵手段を使用してはならない」や、第二十五条「防守されていない都市、集落、住宅、建物はいかなる手段をもってしても、これを攻撃、砲撃することを禁ず」にも違反しています。民間人の住む家は防守されていませんから攻撃は許されないのです。なお、規模ははるかに小さいですが、日本軍も日中戦争中に重慶爆撃という恥ずべきことを行ないました。

アメリカも無差別爆撃が人道上許されないうえハーグ条約違反でもあることを知っていましたから、一九四四年までは主たる目標を軍事目標とし民間施設は爆撃しないようにしていました。

ところがこれでは効果が上がらないということで、日本本土爆撃を担うグアム島の爆撃隊のハンセル司令官は解任されてしまいました。後任は非情で知られていたカーティス・ルメイ少将でした。彼がグアム島に赴任した一九四五年一月から、無差別爆撃が始まったのです。

無差別戦略爆撃となれば、大統領の許可が必要となる作戦です。実際、前駐日大使で知日派の国務次官ジョーゼフ・グルーは、大統領に停止を進言しましたが聞き入れられなかったのです。B二九爆撃機三百二十五機による一九四五年三月十日の東京大空襲では、下町を中心に一夜で十万人以上が死亡しました。一夜としては史上最大の大虐殺です。あらかじめ関東大震災時における被害状況を調べ、下町に木造住宅が密集していることをつきとめた上で、木と紙でできた日本家屋を最も効果的に焼きつくすために新たに開発されたE四六という集束焼夷弾を落としました。だから被害地域が関東大震災の時と似ています。浅草などではまず円で囲うように周囲に焼夷弾を落とし、逃げ出せないようにしてから徐々に内側へ落として行って人々を追いつめました。ビルに逃げこんだ人も、吹きこむ火炎流で焼死あるいは窒息死し、隅田川は川面《かわも》が溺死体で埋まりました。残忍な皆殺し計画でした。

東京はその後も何度か爆撃されました。上空の強風を避けるため二千メートルほどの低空飛行から投下したので、爆撃は極めて精確でした。爆破でもしたら国民の底深い怨恨《えんこん》を買うであろう皇居は目標から外されました。ロシア正教のニコライ堂、ロックフェラー財団の寄付で建てられた東大図書館、米国聖公会の寄付で作られた聖路加国際病院や立教大学、占領後に自分達が利用しようとした銀座の服部時計店（米軍PXとなった）、第一生命ビル（GHQ本部となった）なども外されたから無傷でした。その精確さには驚きます。徹底的だったので終戦後三年たっても御茶ノ水駅界隈に高いビルはほとんどなく、ニコライ堂がすっくと青空を背にそびえていたのを覚えています。

無差別爆撃は東京だけでなく、全国の大都市はもちろん、ほぼすべての中小都市にまで拡大されました。

一九四五年八月になってもまだ盛んでした。八月一日から二日にかけて行なわれた水戸、八王子、長岡、富山への猛爆は、ルメイ司令官の昇進と陸軍航空隊発足記念日を祝うためだったとも言われますが、なぜこれらの都市が選ばれたのかがよく分りません。八十年前の尊皇攘夷の水戸浪士が憎かったのか、山本五十六大将の生まれた長岡に怨みがあったのか、富山の漢方薬が憎かったのかも知れません。それどころか原爆投下後の八月十日になっても、花巻のような温泉と宮沢賢治くらいしか思い浮かばない所まで爆撃されています。三国同盟締結時の海軍大臣及川古志郎大将の生家をどうしても破壊したかったのかも知れません。何と八月十四日になっても光市、小田原市、秋田市土崎港などが爆撃され多くの市民が命を落としました。

原爆二つはもちろんのこと、一九四五年に実施されたこれら無差別爆撃は、戦闘時の激情にかられてのものではなく、アメリカ合衆国の綿密な計画の下で組まれたものであり、飽くことなき大量虐殺への執念によるものだったのです。一般の老若男女五十五万人（東京新聞調べ）の生命が奪われました。批判は正当です。なお、この無差別爆撃は東京裁判で取り上げられませんでしたが、死者一万一千八百人（中国側発表）の日本軍による重慶爆撃の方は厳しく弾劾されました。

日本はサンフランシスコ講和条約でこの米軍による国際法違反に対する補償請求権を放棄しましたが、その後原爆投下に対しては「あやまちは二度とくりかえしません」となぜか自らのあやまちのように言い、日本焦土作戦を指導したカーティス・ルメイ司令官には日本政府が勲一等を与えました。自虐国家日本は絶好調なのです。ルメイはベトナム戦争では空軍参謀長の任にあり「北ベトナムを石器時代に戻してやる」と言い、北爆を推進しました。大将にまで上りつめ退役した後は人種差別的綱領を掲げ副大統領候補として出馬しました。無論、落ちました。

大多数の戦争は宣戦布告なしだった

新憲法や教育基本法を押しつけ、日本のエリートを壊滅すべく旧制中学、旧制高校を廃止したのも、「占領者は現地の制度や法令を変えてはならない」という趣旨のハーグ条約四十三条に反しています。実は、そんな条約があろうとなかろうと、占領者が勝手に憲法や法律を変えるなどという傲岸不遜が道徳上許されるはずがありません。だからこそGHQはそれを隠そうといろいろ小細工を施したのです。

なお、同じ敗戦国ドイツは、憲法や教育基本法などの押しつけを拒否しました。ユーラシア大陸の国々は有史以来戦争ばかりしていて、どの国も勝ったり負けたりを繰り返してきました。ドイツは負け慣れていたため、史上初の敗戦を経験した日本のように動転しなかったのです。

ところでハーグ条約に関して付け加えますと、アメリカが真珠湾奇襲を「恥ずべき行為」と今だに口汚く糾弾する唯一の根拠は、開戦前の宣戦布告を義務づけたハーグ条約です。一九〇七年に作られアメリカも日本も批准しています。

ハーグ条約以前は、当のアメリカを含めどの国も、戦争を奇襲から始めていました。ハーグ条約以降でさえ、アメリカは一九一六年の対ドミニカ戦争で、宣戦布告なしに奇襲占領しています。第一次大戦でも違反はありましたし、第二次大戦でドイツがポーランドやソ連やベネルックス三国に侵攻した時も、ソ連がポーランドやフィンランドに侵攻した時も奇襲でした。

ハーグ条約における宣戦布告条項は、単に開戦儀礼について言っているもので、誰も重要と思っていないのです。現に真珠湾攻撃の一時間二十分ほど前に、日本軍はイギリス領マレー半島への上陸作戦を敢行しましたが、イギリスは宣戦布告のあるなしなど問題にもしませんでした。

そもそも、二十世紀に起きた戦争の大多数は、現在もハーグ条約が生きているにもかかわらず、宣戦布告なしでした。戦争とは「外交の破綻」ですから、どの国だって儀礼などに気を配らないし、ましてや軍隊とは相手の意表を衝く攻撃をするのが仕事なのです。戦争において、もともと宣戦布告などはどうでもよいことで、本質的なのは戦争を仕掛けた側に、国際的に容認されるだけの正当性があるかどうかなのです。

歴史上ほとんど唯一人、ルーズベルト大統領だけが「恥辱」とか「破廉恥」などと絶叫し激昂して見せたのは、モンロー主義による厭戦気分に浸るアメリカ国民を煽動し、ヨーロッパ戦線へアメリカが参戦することを決意させるためでした。それほどまでに不意打ちにこだわる正義と道徳の国アメリカですが、ベトナム戦争でもアフガニスタン戦争でもイラク戦争でもどうしたことか、うっかり宣戦布告を忘れてしまいました。

ナショナリズムよりパトリオティズム

「罪意識扶植計画」で禁止された愛国心の擁護と育成は、世界中どこでもやっていることです。アメリカでもほとんどの公立学校で生徒が毎朝、星条旗を前に右手を胸に当て「私はアメリカ合衆国への忠誠を誓い……」と唱えています。それは当然のことです。家族愛、郷土愛、祖国愛、この三つの愛が人間の基本だからです。この三つが固まって初めて、最も崇高な人類愛を持つことができるからです。

三つの愛なしの人類愛は砂上の楼閣にすぎません。そのうえ、家族を心から愛し、郷土の空、雲、風、山、谷、光、花、鳥、田、畑を涙ながらに愛し、祖国の文化や伝統をこよなく愛する者は、他国の人々の同じ想いをもよく理解できます。すなわち、三つの愛は戦争の抑止力にもなるのです。このような情緒の未発達な者は、いざという時に適当な理屈や論理を編み出して侵略に加担しかねない人です。三つの愛のないような人間は、世界どこへ行っても尊敬はおろか信頼さえされません。自国の国益のためなら他国はどうでもよい、というナショナリズム（国家主義）は不潔な考えですが、今述べた意味での郷土愛や祖国愛は、英語ではパトリオティズムと言われるもので、どの国の人にとっても不可欠のものです。

日本語では美しいパトリオティズムと醜いナショナリズムを峻別せず、明治以来、愛国心という言葉で両方を表して来ました。戦前はこの二つを愛国心としていっしょくたにして賞揚しましたから不潔なナショナリズムが高まり過ぎ、戦後はＧＨＱによる愛国心の否定とともに二つとも否定されたため、肝腎の祖国愛を持つことすらはばかられるようになりました。政治家や外交官など国際的な場で行動する人は当然ながら抑制された国家主義を持たないといけませんが、一般国民はそれへの距離をとることが大切です。軍国主義につながりかねませんし、そもそも自分や自国の利益だけを追うというのは日本人の美意識に合わないからです。

日本人の言う愛国心は、英語ではナショナリズムと翻訳され無用の警戒心を外国の人々に与えています。愛国心という手垢のついた言葉を捨て、「国家主義」および「祖国愛」の語で二つを峻別すべきと思います。

東京裁判というまやかし

「罪意識扶植計画」の定めた主たる禁止条項のうち、一つを除いてどれも不当であることを示しました。残るのは、東京裁判（正式には極東国際軍事裁判）への批判が不当であるかという問題です。

結論的に言いますと東京裁判は、第二次大戦におけるドイツの戦争犯罪を裁いたニュールンベルグ裁判と並び、人類史の汚点ともいうべき「裁判」なのです。東京裁判もニュールンベルグ裁判も、一言でまとめると、「勝利国による敗戦国への復讐劇」に他なりません。両裁判ともに、連合国側の戦争犯罪は不問に付されました。

一九三九年九月一日にドイツはポーランドに侵攻しました。これは当然ながら侵略として糾弾されました。ところがその二週間後にソ連がポーランドにいきなり侵攻しました。がこちらは断罪されていません。ドイツもソ連も本当は同罪なのです。なぜなら独ソ秘密協定による行動だったからです。その二カ月後にソ連はフィンランドに侵攻し、国際連盟から侵略国として追放されました。日独伊は国際連盟から自発的に脱退しましたが、除名という不名誉はソ連だけなのです。にもかかわらずこれも裁判では不問です。

米英はドイツ全土への無差別爆撃を実施し三十万人の市民を虐殺しましたがこれも不問です。ここでは、米軍は主に軍事施設を、英軍は主に一般地域を爆撃しました。占領したドイツにおけるソ連兵得意の数限りない強姦、暴行、殺人も同様です。また米仏軍の収容所におけるドイツ人老若男女の大量死亡も、闇に葬られました。未だ史実として確定していませんが八十万以上という説もあります（『Other Losses』by James Bacque, 1989）。

東京裁判でも同じことです。日中戦争の始まる十年ほど前からの、中国の日本に対する数限りない不法な挑発は無視されました。真珠湾攻撃の前からアメリカが、蔣介石を助けるため援蔣ルート（武器弾薬の荷揚げ港であるビルマのラングーンから中華民国の首都重慶に至る三千二百キロの道）を利用し中国に軍需物資を送ったり、フライング・タイガーズという航空隊を派遣していたことも不問でした。中立を宣言していたアメリカは、空軍パイロットを退役させたうえで義勇兵として中国に送ったのです。手の込んだことをします。実際は真珠湾のずっと以前から、アメリカは、無論宣戦布告もなしに日本に対して敵対行為を始めていたのです。

広島、長崎への、人類にとって今だに唯一無二の原爆投下、そして東京大空襲を含む焦土作戦も無論取り上げません。くり返しますがこれはヒットラーやスターリンの暴挙に比肩する、アメリカ人にとっての悪夢中の悪夢だからです。

一九四五年八月九日にソ連が日ソ中立条約を破り、百七十四万の兵力、五千台の戦車、五千機の航空機をもって満州に侵入したことも、日本の降伏後にソ連が、六十万以上の邦人をシベリアへ送り強制労働させたことも、一切不問です。満州国の気象台で働いていた私の父などは終戦後二カ月もたってから、行先も告げられないまま貨車に乗せられ北へ運ばれて行きました。残された私達母子四人は、無蓋貨車に乗せられ北方へ行く父を、汽車の見える丘の上から「お父さーん」と声をかぎりに叫びながら見送りました。

日本政府は八月十四日にポツダム宣言を受諾し、十六日に関東軍は大本営の命令で停戦と降伏を表明しましたが、千島列島は十八日以降九月五日までの間に火事場泥棒よろしく占領されたのです。ロシア兵の強姦、暴行、虐殺により民間死亡者は十七万人にも上りました。軍隊が武装解除した後の兵士や在留邦人の生命財産は、相手国の良識と文明度にすべてを托すことになりますが、アメリカ軍や蔣介石軍の態度に比べソ連の凶暴野蛮は言語に絶するものでした。

とりわけ北満州に残された開拓民二十七万の運命は、苦難というより悲劇でした。ソ連兵は、老人、女、子供ばかりの日本人難民の列に対し、丘の上から機銃掃射を浴びせたりしました。絶望の中で数十人、数百人単位の集団自決が相次ぎました。父親が泣きながら我が子そして妻を撃ち、最後に自らの命を断つ、というような光景が随所に見られたのです。

しかし東京裁判ではまったく取り上げられませんでした。余りの不公平に弁護側が抗議しても、白豪主義をとるオーストラリアのウェッブ裁判長は「この裁判は日本を裁く裁判であり、連合国軍の行為とは無関係である」の一言で退けたのです。勝者の敗者に対するリンチであることを認めたとも言える発言でした。

正当性を欠く裁判

両裁判では「平和に対する罪」および「人道に対する罪」という、第二次大戦の終戦後にニュールンベルグ裁判に際して考え出された罪を、過去に遡って適用しました。「法の不遡及」、すなわち実行時に違法でなかった行為を事後に定めた法令によって処罰することを禁止する、というのは近代刑法の原則です。この意味でも正当性を欠く裁判でした。清瀬一郎弁護人は東京裁判の開廷早々にこの点を動議として述べましたが、裁判長は理由も述べずにこれを却下しました。

また、ブレイクニー弁護人の動議、「広島、長崎への原爆投下という空前の残虐を犯した国の人間に、この法廷の被告を『人道に対する罪』で裁く資格があるのか」、も詭弁《きべん》により斥《しりぞ》けられました。触れてはいけない大地雷に触れたこの爆弾発言は、発言とほぼ同時に日本語への同時通訳が中止させられたため、日本人の耳にも届かずマスコミにも流れませんでした。欺瞞に満ちたこの裁判を破砕するものだったからです。

また両裁判での証拠採用基準は近代の裁判基準から大きく逸脱したものでした。普通の裁判なら却下されるような伝聞証言が、ドイツや日本に不利に働く限りそのまま証拠として採用されました。それに対して弁護団には、裁判資料を閲覧したり検事側の証人に対して反対尋問する機会もほとんど与えられませんでした。弁護側の提出した有力資料は片端から却下されました。日本に有利、連合国に不利となるからです。却下された資料については『東京裁判　日本の弁明』（小堀桂一郎編、講談社学術文庫）に抜粋が収められています。

その結果、カチンの森事件がドイツの仕業とされ、南京大虐殺が登場しました。カチンの森事件とは、一九四〇年にソ連が、占領中のポーランドから移送したポーランド軍将校や上級官吏、学者、ジャーナリスト、聖職者といったインテリ階層など四千四百名を、スモレンスク郊外にあるカチンの森で銃殺した事件です。占領者にとってもっとも有害な人々だからです。大きな穴の前に冬用の軍服を着た将校達を一人ずつ立たせ、後頭部から額に向けてピストルを打ち穴に転がり落とす、という残忍な手法でした。

スモレンスクを占領中のドイツ軍は一九四三年にこれを発見し世界に公表しましたが、ソ連はそれを「ナチスドイツの謀略」と喧伝しました。そのうえソ連は、何とこの事件をニュールンベルグ裁判でも最重要な戦争犯罪として、ドイツを告発したのです。恐しいことです。

イギリスはドイツ軍の暗号解読に成功していましたから、ナチスがカチンで大きな墓穴を発見したことも、それがソ連による大虐殺であることも知っていました。情報を耳に入れていたアメリカ大統領のルーズベルトは一九四四年に密使を送り事件を調査させましたが、報告が「ソ連の仕業」となっていたので公表を禁止しました。すべてを知っていながら米英は、ニュールンベルグでソ連の身の毛もよだつ大嘘に口をつぐんでいました。

その結果、カチンの森事件は長くナチスの仕業とされていました。事実が世界に向けて明らかになったのはソ連が潰れた一九九〇年で、ゴルバチョフがスターリンの虐殺命令によるものだったことを認めたからでした。

第四章　対中戦争の真実

南京大虐殺の不思議

「南京大虐殺」も実に不思議な事件でした。一九三七年十二月十三日に南京を陥落させた日本軍が、その後六週間にわたり大規模な虐殺行為を行なったと言うものです。

一九九七年にアメリカで出版され五十万部をこえるベストセラーとなった、中国系アメリカ人アイリス・チャンによる『ザ・レイプ・オブ・南京』によりますと、「ヒットラーは六百万人のユダヤ人を殺し、スターリンは四千万以上のロシア人を殺したが、これらは数年をかけて行なわれたものだ。レイプ・オブ・南京ではたったの数週間で市民三十万人を殺し、二万人から八万人の女性を老若かまわず強姦し豚のように殺した、という点で史上最悪のものだ。天皇を中心とした日本政府がこれを仕組んだ」という内容のものです。「日本兵は女性の腹を裂き、胸を切り刻み、生きたまま壁に釘づけにした。舌を鉄の鉤に吊るしたり、埋めてセパードに食い散らかせた」などとも書いてあります。

私達の父や祖父達がこんなことを組織的にしていたとしたら、私達日本人は百年は立ち直れないでしょう。祖国愛や誇りを持つなどということもあり得ないことです。

そのためにも事実を明らかにし、東京裁判史観に染まった国民にどうしても真実を知ってもらう必要があります。

一九三七年十二月、南京攻略を決めた松井石根大将はとても神経質になっていました。日露戦争に従軍したことのある松井大将は、かつて世界一規律正しいと絶讃された軍隊でロシアと戦ったことを誇りに思っていました。

そこで攻勢前に兵士達に、「首都南京を攻めるからには、世界中が見ているから決して悪事を働いてはならぬ」という趣旨の「南京攻略要綱」をわざわざ兵士に配り、厳正な規律を徹底させました。これ自体が稀な行為です。そのうえ、還暦を目前に控えた松井大将は、陸軍大学校を首席で卒業した秀才ですが、若い頃からアジアの団結を唱える大アジア主義に傾倒していて根っからの親中派でした。孫文の革命を支援したばかりか、若き蔣介石が日本の陸軍士官学校に留学した時は親身で面倒まで見てやった人です。運命のいたずらで愛弟子と戦わざるを得なくなり、せめて規律だけは保たせようと思ったのでしょう。そして、攻略を始める前日の十二月九日、南京包囲を終えた松井大将は中国軍に対し、民間人の犠牲を避けるため十日正午までに南京を解放するよう勧告しました。蔣介石をはじめ政府と軍の首脳はすでに七日に首都を放棄していました。続いて役人、警察官、郵便局員と姿を消したため、水道は止まり電気も消え、無政府状態となりました。

ほとんどの戦争では、中国でもヨーロッパでも、市民を巻きぞえにしないため軍隊は市内から出るものです。第二次大戦でパリはドイツに占領され、後に連合軍に占領されましたが、どちらの場合も軍隊は市街を出たので美しい町が保たれたのです。北京や武漢でも中国兵は町から出たので市民巻きぞえという混乱はありませんでした。

南京守備軍の唐生智司令官はこれを無視しました。「首都と運命を共にする」と広言していた彼は、日本軍の猛攻を受け陥落寸前という時に撤退命令を出すや、逃げ出してしまいました。指揮系統はすでに失われていたので数万の兵に撤退命令は伝わりませんでした。大混乱の最大原因です。降伏命令だったら何も起きなかったからです。

『「南京事件」の総括』(田中正明著、小学館文庫)に、軍服を脱ぎ捨てた数千の中国兵が安全区に入って来てからの混乱が詳述されています。南京市は首都といっても面積は世田谷区の三分の二ほどの狭さです。日本軍の攻撃の迫った十二月一日、南京市長は全市民に対し、安全区、すなわち国際委員会が管理する地区に避難するよう命令します。安全区は、狭い南京の一角に作られた二キロ四方程度の狭小の地区です。日本軍が攻略を始めた十二月十日には、すでに揚子江上流に避難した中上流階級の人々を除く、全市民がここ安全区に集まっていました。

資料により異なりますが、この段階における安全区人口は十二万から二十万の間です。「惨劇」があったとしたら、すし詰めとなったこの安全区で起きたはずなのです。

ところが不思議なことに、南京に入城した幾万の日本兵も、共に入城した百数十名の日本人新聞記者やカメラマンも誰一人そんな惨劇を見ていないのです。皆が一糸乱れぬ口裏を合わせているのでしょうか。こんな狭い所で大虐殺が行なわれたというのに、そこに住んでいた国際委員会の外国人や外国人記者も目撃していません。

日本軍が入城した十二月十三日から翌年二月九日までに、国際委員会は日米英独の大使館に六十一通の文書を提出しており、そこには殺人四十九件、傷害四十四件、強姦三百六十一件（うち被害者多数三件、被害者数名六件）などがありますが、大虐殺と呼べるものはありません。この数字自身も、国際委員会書記スマイス教授が認めたように、検証されたものではなく中国人からの伝聞によるものでした。また国府軍側の何應欽将軍が直後の一九三八年春に提出した大部の報告書にも、南京での虐殺を匂わせるものはいっさいありません。無論、市民虐殺を示唆する日本軍の作戦命令も存在しません。

当時、中国に関して最も権威ある情報源とされていた「チャイニーズ・イヤーブック」

と呼ばれる年鑑がありました。上海で英国系新聞社が出版していたものです。これにも虐殺の影はありません。

一言で言うと、虐殺を示す第一次資料は何一つないということです。

ティンパーリもスノーも南京にいなかった

「惨劇」から一カ月近くたった一九三八年二月二日の国際連盟理事会で、中国の顧維鈞代表は日本非難の大演説の中で次のような趣旨のことにほんの少しだけ触れました。

「一月二十八日の『デイリー・テレグラフ』紙と『モーニング・ポスト』紙(ともに英紙)によりますと、南京で日本兵によって虐殺された中国人市民の数は二万人、辱めを受けた女性は数千人と見積られております」

これが「南京大虐殺」に関する中国側の最初の言及でしたが、どこか他人事のようです。きちんとした調査も一次資料も何もないからです。顧維鈞の提案に従いそれまでに何度も日本非難を行ってきた理事会ですが、こんな話では対応の仕様もありませんから聞き流しただけでした。コロンビア大学で博士号をとった、欧米に影響力のある大ベテラン外交官顧維鈞にとっても虐殺はイギリスの新聞が初耳だったのでしょう。彼は五月の理事会でも、日本軍による南京空爆や山東での毒ガス使用を非難しましたが、南京虐殺については言及していません。二万人の市民虐殺となれば、いや二千人であっても、南京空爆や毒ガスどころの話ではないのですが。

欧米諸国のメディアでも「南京大虐殺」はほとんどと言ってよいほど取り上げられませんでした。例外は一九三八年にロンドンで出版された、マンチェスター・ガーディアン記者のティンパーリによる『戦争とは何か』と、作家エドガー・スノーが一九四一年に出版した『アジアの戦争』ですが、どちらも伝聞に基づいたものです。二人とも事件発生時に南京にはおりません。

なおティンパーリは一九三七年より国民党より金をもらい宣伝工作に従事していたうえ、一九三九年には国民党中央宣伝部の顧問にまでなった人でした。彼の正体については立命館大学北村稔教授の『「南京事件」の探究』（文春新書）に詳述されています。

もう一方のアメリカ人ジャーナリストのエドガー・スノーは、毛沢東と非常に親しい人物で、『アジアの戦争』はアメリカに対し日本抹殺の戦争を煽るための書でした。アメリカ人を憤激させるため、「南京では十歳から七十歳までのすべての女が強姦された」と書きました。また「日本人は中国人や朝鮮人より知的、肉体的に劣る」と対日憎悪をうっかり披瀝しています。不幸なことにこの政治的著作は東京裁判で検事側により重要な参考文献とされてしまいました。なお彼は、戦後マッカーシズム（赤狩り）が始まるやスイスに移住してしまいました。

東京裁判で再登場した

「南京大虐殺」が再登場したのは、南京戦後八年半もたった一九四六年（昭和二十一年）、東京裁判においてです。証人となった中国人が次々に大虐殺を「証言」しました。日本兵は集団をなし、人を見れば射殺、女を見れば強姦、手当り次第の放火と掠奪、屍体はいたる所に山をなし、血は河をなす、という地獄さながらの描写ばかりでした。

この裁判は、通常の裁判とはまったく異り、証人宣誓が求められず証拠検証もされませんでしたから、言いたい放題だったのです。殺害者数三十万人という証言に疑念を抱いたロヴィン弁護人が「私の承知して居る限りでは南京の人口は二十万ですが」と質問すると、ウェッブ裁判長は「今はそれを持ち出す時ではありません」と慌ててこの発言をさえぎりました。

中国人だけでなく金陵大学（のちの南京大学）のベイツ教授など数人の欧米人も証人と

して出廷しました。ベイツ教授は事件時に南京にいて国際委員会のメンバーであり、『戦争とは何か』を書いたティンパーリに、書簡で事件を教えた人です。「一万二千人の市民を含む非武装の四万人近い人間が南京城内や城壁の近くで殺されたことを埋葬記録は示している」という趣旨の証言をしましたが、やはり中国人からの伝聞のみです。

埋葬死体が戦死者のものかどうかも確認していません。実はベイツ教授は、やはり国際委員会に属する金陵大学のスマイス教授と、一九三八年の三月から四月にかけて、多数の学生を動員して南京市民の被害状況を調査していました。スマイス教授は社会学が専門なのでこの種の調査には慣れていて、五十戸に一戸を無差別抽出して、二人一組の学生がそこを訪れ質問調査するという方法でした。

この日時をかけた調査結果は、日本兵の暴行による被害者は、殺された者二千四百人、負傷した者三千五十人でした（「南京地区における戦争被害調査」）。ただし、調査は被害者救済のためのもので、誰も住んでいない家は調査対象となっていませんから、家族全員が犠牲になった家などは統計に入っていません。また死亡者の中に、南京に自宅のある兵で便衣兵（軍服を脱いで一般市民に混じった中国兵）として処刑された者もかなり混じっているはずです。この人たちは市民でもあります。というわけで実数はある程度上下するはずです。しかしこの調査はほとんど唯一の第一次資料と言えるものです。

ベイツ教授はこの調査を知っていながら、東京裁判では大いに水増ししました。そればかりか、

「日本軍侵入後何日もの間、私の家の近所の路に、射殺された民間人の屍体がゴロゴロしておりました。スマイス教授と私は調査した結果、城内で一万二千人の男女および子供が殺されたと結論しました」

と述べたのです。一方のスマイス教授の東京裁判への出廷は、弁護側が要求したにもかかわらず認められませんでした。ベイツ教授は一九三八年と一九四六年に蔣介石より勲章をもらっていました。

またマギー牧師は法廷で延々と日本軍による殺人や強姦の事例を証言しましたが、ブルックス弁護人に「実際に自分で見たのはそのうちの何件か」と問われ、「実際に見たのは一件だけ」と白状しました。しかもそれは、日本軍歩哨に誰何《すいか》され逃げ出した中国人青年が射殺された件でした。当時、中国にいた宣教師達が国民党におもねっていたことは、アメリカの上海副領事をしていたラルフ・タウンゼントが一九三三年に出版した『暗黒大陸中国の真実』（芙蓉書房出版）などに記されています。これについては後章で述べます。

安全区に逃げこんだ便衣兵

南京戦の特殊性は、陥落寸前に唐生智司令官が兵隊を残したまま逃亡したため混乱が起き、中国の便衣兵が安全区に逃げこむという事態が発生したことにあります。日中戦争では、軍服を脱ぎ捨てた兵隊が百姓や市民になりすまし、油断を見計らっては隠しおいた手榴弾などの武器で日本軍を奇襲するということが頻繁に行なわれました。実力が違い過ぎるため、大軍団同士の激突を中国側が避けたのです。

このような戦術は必然的に罪のない市井の人々を巻きこむことになりますから、欧米ではほとんどありませんが他の地域ではよく見られます。ベトナム戦争でも北ベトナムがこの戦術をとりました。

日本は掃討作戦を行なわざるを得なくなりました。安全区の住民の中から便衣兵と疑われる者は、安全区の外で日本軍憲兵により取調べを受けました。中国兵は坊主頭でしたから、坊主頭か、銃ダコが手にあるか、軍支給の下着をつけているか、額にヘルメット焼けがあるか、などを基準に選別したのである程度の正確さはあったと思われます。

南京防衛にあたり中国軍は市民から付け焼刃の大規模徴兵をしましたから、もともと南京の市民だった人も多数いたと思われます。捕まえられた彼等は、たとえ家族が市民と証言しても、ハーグ条約で定義された捕虜にはならないため保護されないのです。軍服や軍章をつけていないと捕虜と見なされず不法戦闘員と見なされますから処刑されてもやむを得ないのです。「二度とこういう真似をするなよ」と説教して逃してやったという日本兵の談話もあります。

スマイス教授の調査における被害者のほとんどは、恐らくこういった便衣兵および便衣兵と間違われた市民達と思われます。

また正規兵一万五千人の投降者を幕府山収容所で殺害した、という人もいます。投降者を調べると女子供や老人もいたので非戦闘員七千人は解放されましたが、残りの八千人が処刑されたというのです。このうち半分は火事を起こして脱走したようですが、残りの四千人ははっきりしません。処刑された可能性もあります。処刑なら明らかに違法ですが、脱走を企てたりした兵ですから、中国側も問題とせず、東京裁判でも話題になりませんでした。

なお、ティンパーリの本とか本多勝一氏の取材によると、上海から南京へ日本軍が進撃する際にも多くの虐殺が行なわれたとあります。中国人の証言がいくつかあるのでしょう。

南京大虐殺の第一報で「南京における大規模な虐殺、婦女暴行などにより南京は恐怖の町と化した」と書いたニューヨークタイムズ記者のダーディン氏は国民党国際宣伝処の協力者でしたが（『南京事件 国民党極秘文書から読み解く』東中野修道著、草思社）、一九八九年十月号の「文藝春秋」でのインタビューで次のように話しています。

「上海から南京へ向う途中で日本軍が捕虜や民間人を殺したのを見たことも聞いたこともありません」

「南京の安全区には十万人ほどおり、そこに日本軍が入って来ましたが、中国兵が多数まぎれこんでいて民間人を装っていたことが民間人が殺害された原因です」

まあかつて見て来たような嘘を書いた人ですからこの発言もどこまで信頼できるか分りませんが。

恐らく日本軍の中にも、世界一の軍規厳正を誇った日露戦争時のようにはいかず、日本人として恥ずべき強姦、虐殺など悪行を働いた兵士もいたに違いありません。なかには捕虜銃殺もあったかもしれません。これも人間同士が殺し合うという、平和時には想像もつかない極限状況での万国共通の犯罪です。

いずれにせよ、便衣兵掃討を強いられた作戦としては、スマイス調査における被害状況は、当時の常識では取り立てて話題にするような数字ではありません。だからこそ八年間も問題にされることがなかったのでしょう。

証拠は捏造されていた⁉

東京裁判での結論は虐殺三十万と言う中国人証人とその十分の一ほどと言う欧米人の、共にほとんど根拠のない数字の平均をとったのか、「十二万七千あるいは二十万以上」という妙なことになりました。松井石根大将など関係者は東京裁判で戦犯として死刑となりました。「南京大虐殺」とは本質的に、事件後八年も経過してからいきなり登場したものでした。

その後、大虐殺派と否定派、後には中間派も現れて中傷合戦がくり広げられてきました。安全区内を自由に歩き回れた欧米人で虐殺を目撃した人は一人もいませんし、写真もありません。困った大虐殺派の日本人や中国人が証拠写真として高らかに掲げてきたものは、そのほとんどが捏造であることが証明されています（『南京事件「証拠写真」を検証する』東中野修道、小林進、福永慎次郎著、草思社）。ベストセラー『ザ・レイプ・オブ・南京』を書いた中国系アメリカ人アイリス・チャンは、出版の七年後に自殺してしまいました。

従って事件後、七十年余りたった今もこの大虐殺は伝聞や風聞で支えられています。『蔣介石秘録』の中で蔣介石自身が「南京での三十万から四十万人の大量虐殺」や「百人斬り」などについて書いているではないか、と言う人が時々います。この本は自伝ではなく、戦後になって中国国民党などの協力で編集されたもので、一次資料ではありません。「百人斬り」などは今では作り話ということになっているものです。

否定派の仕事は、証拠として挙げられたもの一つずつにつき、捏造されたもの、信頼性に欠けたもの、であることを証明する仕事でした。そして起きたはずのないことを示す状況証拠を積み重ねて行くことでした。無論、どこの誰だか分らぬ人による証言まではすべてを否定しきれていませんが、多大な努力の末に一個一個消してきました。

果てしない泥仕合の中で二〇〇三年に転機が訪れました。亜細亜大学の東中野修道教授が、台湾の国民党党史館に保管されていた、「極機密」という印の押された「中央宣伝部国際宣伝処工作概要」を発掘し、中に驚くべき事実を発見したからです。

事件の起きたとされるのは一九三七年十二月ですが、その後十カ月間に蔣介石の国民党中央宣伝部は外国人記者会見を三百回ほど行いながら、日本軍による南京での市民虐殺や捕虜の不法殺害については一度も報告していなかったのです。面積が世田谷区の三分の二に過ぎない南京にいて直接に「累々たる虐殺死体や血の河」を見た外国人や、それを伝え聞いたはずの外国人記者も、当然そこで虐殺について質問したはずです。誰一人としてそれに言及していませんでした。

もし実際に起こったことであれば、そもそも当事者の蔣介石が、身の毛もよだつ日本軍の蛮行として海外宣伝の格好の場でとり上げないはずがありません。

無論、これが大虐殺がなかったことの証明にはなりません。なかったことを証明することは、今後とも不可能なのです。数学でも、「存在しない」ことを証明するのは大変です。数学のごとく完全に論理的に構築されている世界でも大変なのですから、歴史学では「存在しないこと」を証明するのは、それが何であってもまず不可能なのです。どの分野でも似たようなものです。おばけが存在しないことも、吉永小百合から私へのラブレターが存在しないことも、証明はほぼ不可能です。

一方、「存在する」ことを言うには疑う余地のない証拠をたった一つでも出せばそれで結着がつくのです。何十万人も殺されれば文句のつけようのない証拠がいくらでもあるはずなのに、「南京大虐殺」ではその一つがいつまでも出て来ません。新しい捏造証拠は生まれては消えているのですが。

そもそも証拠を捏造するというのは不思議な現象です。何のために苦労して嘘までついて大虐殺を存在させようとしているか、ということの方が問題です。普通の裁判では、検察側であろうと弁護側であろうと、虚偽を一つでも捏造したらそれだけで信憑性をすべて失ってしまうところです。

それがこの事件では次々と、今だに世界各地で捏造され続けています。中国による情報工作としか考えにくいものです。実際、中国はこれにより、村山談話や首相の靖国参拝中止ばかりでなく、日本の対中低姿勢を引き出すという外交上の大きな勝利を挙げました。

「大虐殺」は歴史的事実ではなく政治的事実

東京裁判の中で南京大虐殺が飛び出したことには二つの理由が考えられます。

一つは、戦後に新しく考案された「人道に対する罪」として、ドイツのアウシュヴィッツ大虐殺に対する日本の「南京大虐殺」が欲しかったのではないでしょうか。もう一つは、悪夢中の悪夢とも言える原爆二発を相殺するために、二十万人というほぼ同数の被害者が欲しかったのだと思います。人道を掲げるクリスチャンの国アメリカにとって、無辜の民を標的に抹殺した原爆はとうてい神に許されるものではありません。何か大きな正当化が必要です。

そのために偽証罪も検証もない裁判で、中国とアメリカが結託して「南京大虐殺」をでっち上げたのかもしれません。かくて「罪意識扶植計画」の目玉となりました。

宮沢官房長官が一九八二年に「近隣諸国条項」を出してからは、「南京大虐殺」が政治的に利用できると悟った中国は、戦後になってもそれまでほとんど黙っていたのに、突然大騒ぎを始めました。各地に虐殺を記念する施設を作り、本や映画を作り続けてきました。それは大きく功を奏し、今日でも我が国では、何かに脅えているのか、これを否定するような意見がテレビや新聞に現れることはまずありません。

私は大虐殺の決定的証拠が一つでも出てくる日までは、大虐殺は原爆投下を正当化したいというアメリカの絶望的動機が創作し、利益のためなら何でも主張するという中国の慣習が存続させている、悪質かつ卑劣な作り話であり、実際は通常の攻略と掃討作戦が行なわれただけと信ずることにしています。さらに事を複雑にしているのは日本国内に、大虐殺を唱え続けることこそが良心と平和希求の証し、という妄想にとらわれた不思議な勢力があることです。「南京大虐殺」は歴史的事実ではなく政治的事実ということです。事実であるという決定的証拠が一つでも出るはるか前に、「カチンの森」が事件発生五十年後のソ連崩壊時に告白されたごとく、「南京大虐殺」の真実が、アメリカの情報公開で明るみに出るか、中国の一党独裁崩壊後に告白されるのではないかと考えています。

ただし、アメリカは時が来れば何でも情報公開する公平でオープンな国のように見えますが、肝心のものは公開しません。真珠湾攻撃前一週間の暗号解読資料とかケネディー大統領暗殺犯などについては、今もすべてを出そうとしません。南京事件が原爆投下と関係しているとしたら容易には出さないでしょう。

南京の話が長くなったのは、これが未だに日本人を萎縮させているからです。中国に対して言うべきことも言えないでいる理由だからです。尖閣諸島が中国のものと言っても、自分から体当りしてきて謝罪と賠償を高らかに唱えても、怒鳴りつけることもできず、下を向いたまま「領土問題は存在しません」とつぶやくだけの国となっているからです。

二十年以上にわたり毎年一〇%以上も軍事費を増加させるという中国の異常な軍備拡大に抗議するどころか、すでに六兆円をこすとも言われる巨額のODAを与え、さらに援助し続けるのも、自らの対中防衛力を高める努力もしないでハラハラしているだけなのも、中国の不当な為替操作を非難しないのも、「南京で大虐殺をしましたよね」の声が耳にこだまするからです。中国の対日外交における最大の切札になっているのです。

復讐劇と化した訴訟指揮

東京裁判の不当はまだまだあります。「日本は挑発挑戦され自衛のために起った」というローガン弁護人のものをはじめ、弁護側の弁明の大部分が却下されたことも法の下の平等を欠くことでした。

広田弘毅首相のスミス弁護人は、ウェッブ裁判長の偏った訴訟指揮を「不当なる干渉」と述べました。大島浩駐独大使の弁護人カニンガム弁護人は東京裁判が進行中にシアトルでの全米弁護士大会に出席し、「東京裁判は連合国による報復と宣伝に過ぎない」と発言しました。二人ともウェッブ裁判長から除籍されました。

日本への憎悪を隠そうとしないこの裁判長は、訴訟指揮権を循にやりたい放題だったのです。まったく一方的で裁判とはとても呼べないものでした。当時から現代に至るまで、ほとんどの国際法専門家がこの裁判を否定的に見ているのは当然です。すなわちこの裁判はまったく不当なもので、単なる復讐劇と言って過言ではありません。

裁判自体が噴飯物であったことは明らかですが、それを証明してみせたところで物事が終わるわけではありません。罪状が、日本指導者二十八名について、「文明の名によって世界征服の責任を裁く」というものだったからです。二十八名は、通常の戦争犯罪に加え、日独を念頭に戦後になって捻り出された「平和に対する罪」や「人道に対する罪」で起訴されました。すなわち日本が一方的に侵略戦争を起こしたという非難だったからです。

日本の犯した一方的侵略戦争、というのがもし真実であったら、東京裁判にとどまらず、終戦後のアメリカによる「罪意識扶植計画」をはじめとするありとあらゆる傍若無人な振舞い、度重なるハーグ条約違反など国際法の無視は寛恕されるべきものになります。極悪国家日本を懲らしめその存在を全否定するという、正当な行為における勇み足ほどのものになってしまうからです。

南京事件という一事件が虚構であったからと言って日本が免責されるわけにはいきません。日本が戦争責任のすべてを背負うほどの非人道的行為に走ったのかどうかは避けて通れない大問題なのです。ここをきちんと抑えなければならないのです。

「八紘一宇」は世界征服にあらず

まず、罪状にある「世界征服の責任」です。有史以来、この日本に、時折のファナティックな夢想家を除き、いったい、世界征服のごとき気宇壮大な構想を持った個人あるいは団体はあったでしょうか。

日中戦争の頃から八紘一宇という言葉はよく用いられましたからウェッブ裁判長は当初、これが世界征服へ向けた合言葉と信じていたようです。しかしこの意味は、世界は兄弟達の住む一つの家のようなものであるという、神武天皇建国以来の、日本書紀にも出てくる日本人の道徳であり平和思想です。日中戦争の頃からしきりに使われたこの言葉の具体的内容は、一九四〇年（昭和十五年）の「基本国策要綱」にあるように、世界平和の確立を目指し、まずは日満支を核とした大東亜共栄圏を建設しようというものでした。

ただし、八紘一宇や大東亜共栄圏の言葉が大東亜戦争において、理性を半ば失なった泥沼の戦争を美化し、国民を奮い立たせるために使われたことも確かです。日本人は論理や理屈だけでは本気で動こうとしない民族です。それが単なる美化であろうとなかろうと、情緒や精神に訴える大義が必要なのです。それなしに日本人は、中国の奥地やメコンのデルタや南洋諸島のジャングルで戦い続けることはできません。

日本が中心となって東アジアの白人植民地を解放し、そこに平和と繁栄を築こうというのですから、立派なスローガンにも聞こえますが、「日本が中心となって」というのは他国から見たら思い上がりと思われて仕方のないものです。

しかしこれは利己的なものではなく、白人の牙から同胞アジア諸国を守るという、幕末からのアジア主義であり、日本人の気概のほとばしりでもありました。実際、日本以外にそんな気概のある国は皆無だったのです。「八紘一宇」と「大東亜共栄圏」は独りよがりな気負いでしたが、世界征服を睨んだものでは決してありません。

裁判では清瀬一郎弁護人がこれをきちんと主張しましたから、結局はそのまま認められました。

「共同謀議論」のムリ

東京裁判の目玉は、一九二八年から一九四五年の終戦までの十七年間、日本は一貫してアジアを侵略して支配下に置くための陰謀を企て、そのために満州事変、日中戦争、太平洋戦争を引き起こしたということでした。そしてこれを共同謀議したとして罪を問われたのがA級戦犯と言われる二十八人でした。

本当にこの二十八人が世界征服やアジア征服の計画を練って日中戦争から日米戦争にまで至ったのでしょうか。

ドイツではヒットラーが一九三三年から一九四五年までの十二年間、一貫して首相でしたが、日本では何と、十七年間に十六回も内閣が代っているのです。これだけ頻繁に内閣が変わり、どんな国家的策謀ができるでしょうか。このことは裁判で、カルカッタ大学学長のパール判事が言及し、共同謀議を全面否定しています。

そのうえ軍部の方でも、陸軍と海軍は明治の頃から喧嘩ばかりです。このことはアメリカでさえ戦前からよく知っていたことです。日米戦争開戦の一九四一年になっても仮想敵国は陸軍がソ連で海軍がアメリカとなっていて、北進するか南進するかでいがみ合っていました。

陸軍内部でさえ、満州事変の頃から皇道派と統制派の抗争がすさまじく、統制派の中心人物である永田鉄山軍務局長が皇道派の相沢中佐に斬殺されました。永田鉄山は陸軍で「永田の前に永田なく、永田の後に永田なし」「もし永田ありせば太平洋戦争は起きなかった」などと言われた陸軍きってのエリートでした。私の大伯父の藤原咲平とは諏訪市の高島小学校で同級でした。咲平は「鉄山には勉強でも喧嘩でも敵《かな》わなんだ」と言っていました。永田の偉大さの前に影の薄かった東条英機が、永田の死によって表舞台に浮上しました。二派の対立は二・二六事件にまで発展しました。

また名を挙げられた二十八名の中には互いに会ったことのない人や政敵もいて、共同謀議どころの騒ぎではありませんでした。

そもそも、はっきり申しますと、残念ながら日本人には、大局的視野に立って長期戦略を組み立てる、という能力があまりありません。本当はそういう能力のある人が少しはいた方がよいのですが。「世界最終戦論」をぶち上げた石原莞爾のような人は例外です。

この能力はアジア人にもなく、ラテン民族やスラブ民族も得意ではありません。最も得意なのはアングロサクソンです。

裁判で検察側は「田中上奏文」を共同謀議の証拠としようとしました。これは一九二七年（昭和二年）に田中義一首相が天皇に上奏したとされる国策案で、日本の満蒙侵略、中国侵略の計画書ということでした。中国で出版され、先に触れた毛沢東シンパのエドガー・スノーなどにより海外へ紹介されたため、欧米ではヒットラーの「我が闘争」と並立されましたが、現在まで原文となる日本文がありません。基本的事実関係の誤りも多く、歴史学界では偽書とされています。またもや中国得意の情報工作だったのです。いやになります。さすがに東京裁判でも証拠として取り上げられることはありませんでした。

アジア侵略の計画などまったくないからこそ、次章で述べますように、日中戦争開始前の中国側から数限りない挑発を受けても、政府と参謀本部は自重と不拡大方針をとったのです。日米戦争についても日本には土壇場に至るまで対米戦争計画はほとんどなく、陸軍などは戦争が始まっても、兵を送ることを求められたガダルカナルやソロモン群島がどこか分らず、地図で探すほどでした。アメリカにとって長期的な謀略は普通のことだから、日本もしたに違いないと思いこんだだけのことです。日本人の能力不足を知らなかった故の、まったくの濡衣だったのです。

「オレンジ計画」とは何か

一方のアメリカは日露戦争の終った翌年あたりから、テオドア・ルーズベルト大統領の指示で対日戦争計画を練り始めました。オレンジ計画です。対英戦争のレッド計画など他にもありました。

十九世紀末に西海岸まで到達し、ハワイ、フィリピンを獲得したアメリカにとって、次のフロンティアとしての目標は巨大市場中国でした。そしてすでに満州での利権を独り占めにし、中国への道に立ちはだかるのが、強力な海軍力を持つ小癪なイエローモンキー、日本だったのです。

オレンジ計画はその後何度も改定されましたが、一九一一年(明治四十四年)のものに

は、

「米国は独力で日本を満州から撤退させるべく、大陸への介入でなく、海上の作戦によって戦うことになるだろう。日本の通商路を海上封鎖することで息の根を止めることになろう」

という趣旨のことが書いてあります。三十年後の戦争はその通りになりました。

この計画は大統領、陸海軍トップなど数人しか知らないもので、大統領は暴露された時のことを警戒し署名さえしなかったものでした。一九二二年のワシントン条約で日英同盟を解消させたのも、日本の戦艦保有量を米英日で五対五対三とさせたのも、一九三〇年のロンドン軍縮会議において重巡洋艦はアメリカの六割、駆逐艦はアメリカの七割と抑えたのも計画通りでした。軍事上の不平等条約です。日露戦争での日本の強さを見るや、対日戦争に向けて三十五年間も準備していたのです。日本にも「帝国国防方針」があり、陸軍の仮想敵国はいつもロシア、海軍は日露戦争以後アメリカとなりましたが、海軍にアメリカを攻撃する気など毛頭なく、国防が「陸主海従」となるのを避け予算をとるためにそうしただけです。

その後も日米戦争だけはどんなことがあっても避けたい日本に対し、アメリカは太平洋の覇権をめぐって日本との激突を必然視し本気で準備しました。第二次大戦で英ソが窮地に陥ってからは日本に先に手を出させようとありとあらゆる努力を重ねました。日米戦争に限って言えば、共同謀議で告発さるべきはむしろアメリカだったのです。人間というものは、他人を攻撃する際に自分が言われるともっとも痛い言葉を用いる、という心理的傾向があるのです。国も同じです。

第五章　「昭和史」ではわからない

「侵略」の定義とは何か

東京裁判の核心、戦後日本を覆った暗雲は、日中戦争および日米戦争が日本の一方的侵略であったかということに帰着します。

これが実に難しい。侵略という言葉の定義がはっきりしないからです。

軍事学において、侵攻（進攻）と侵略は区別されています。

まず侵攻とは、目的を問わず、相手方勢力や相手方領域を攻撃する行動です。この定義はほぼ明確と言ってよいでしょう。

一方、侵略とは、相手の主権や政治的独立を奪う目的で行なわれた侵攻のことです。この定義は不明確です。

例えば領土紛争などでは相手国領域かどうかということ自体が、紛争の争点だからです。主権を奪う目的があったかどうかも判定の難しいことです。

「侵略」という言葉は至る所で日常的に用いられますが、その定義は何を調べてもはっきりしません。しかしこの言葉を用いる以上、定義をある程度定める必要があると思われます。数学では定義がすべての出発点ですので、私はどうしてもそれにこだわってしまいます。

私が妥当と思う定義は、「自衛のためでなく、軍事力により他国の民族自決権を侵害すること」です。

ここで大事なのは、「民族自決権を持つ国」とは何かが、時代とともに変遷することです。すなわち、侵略とは時代とともに意味が変わるのです。

一九一九年、第一次大戦が終った後にパリで講和会議が開催され、そこで新しくできる国際連盟の規約が決められました。その規約の「委任統治」に触れた箇所を読むと、「自ら統治できない人々のために、彼等に代わって統治してあげることは、文明の神聖なる使命である」という趣旨のことが書いてあります。

「文明の神聖なる使命」。何と美しい言葉でしょう。これにより欧米列強は植民地保有を正当化したのです。もっとも植民地主義の欺瞞にうすうす気づいていたからこそ、この美しい言葉が必要だったのでしょう。

また「民族自決」もこの時謳われましたが、それはヨーロッパのみに適用されました。

この論理により、イラク、ヨルダン、パレスチナはイギリスの、シリア、レバノンはフランスの委任統治領となったのです。すなわち、自ら統治できない人々の住む国を奪取することは今とは異なり、侵略とはならなかったのです。

そして「自ら統治できる人々か否か」は、列強の判断にまかされていました。すなわち侵略かどうかは、本質的には列強の判断次第だったのです。

誰が法的正否を決めたのか

二〇〇一年にアメリカで、ハーバード大学の協力により「第三回韓国併合再検討国際会議」が開かれました。この会議は、日本による一九一〇年の韓国併合が国際法から見て違法であることを確認しようとした韓国のイニシアチブで開催されました。

結論的に言うと、「韓国併合は違法」という韓国の学者達の主張は、欧米の研究者達によって全く受け入れられませんでした。中でケンブリッジ大学教授で国際法の権威であるジェームズ・クロフォード氏は大筋で次のように語りました。

「国際法は当時、文明国相互の間にのみ適用されるものであり、この国際法を適用するまでの文明の成熟度を有さない国家には適用されなかった。植民地化に関する『法』とは、それが他の文明国によってどのように受け取られるかであった。韓国併合は英米をはじめとする列強に認められている以上、違法とは言えない」

韓国側は悄然と肩を落として去ったそうです。侵略かどうか、すなわちそれが国際法上正当か否かは、列強の判断によったのです。

それでは日本の関わった中国およびアメリカとの戦争が当時の定義における侵略戦争だったかどうか、以下で考えてみたいと思います。

「昭和史」という不思議

東京裁判では昭和の戦前と戦中が考慮の対象とされましたが、歴史上のすべての出来事は因果により密接につながっていて、どこかからその一部を切り離すということに無理のあることは言うまでもありません。最近よく「昭和史」という文字が目に入りますが不思議な言葉です。「昭和史」という言葉を用いた瞬間に、それ以前を切り離すという暗黙の作業が含まれているからです。この作業には、意図するしないにかかわらず、非常に危険なものを含んでいますから注意が肝腎です。

何故なら十六世紀以降の世界史の半分は、恥ずべき人種差別に基づいた、残虐非道な欧米の侵略史と言って過言ではありません。人道、正義、文明の神聖なる使命、などのもっともらしい旗印の下、白人がアジア、アフリカ、南北アメリカ大陸と次々に土地を奪い、愚民化した住民を家畜のごとく使役し、苛烈な搾取を行い、従わない者は虫けらのように殺す、という歴史でした。

そして帝国主義に遅れて参加した日本が、海外に欧米列強と同様の利権を求めて出て行ったのは、二十世紀に変る頃からで、その頃、取りたいものをすでに取った欧米列強の侵略は下火になっていました。残る大きな利権と言えば中国や満州くらいであり、後進日本の帝国主義は昭和になった頃に最高潮を迎えましたから、日本の乱暴ばかりが目立ちやすいのです。

昭和だけを切り取るということは、四世紀もの長きにわたる欧米列強の酷薄を免罪し、日本だけを貶め、「東京裁判史観を認める」ことに導かれる危険を高めるのです。とは言え、日中戦争、日米戦争を考えるうえで、どこかで切らないといくらでも時代を遡らねばならなくなります。そこで私もとり敢えずここだけは昭和を中心に語り、後に遡ることにいたします。

清国は満州族の国

裁判では満州事変以降が日本の侵略とされました。この事件は、ご存知の通り、一九三一年（昭和六年）九月に満州（現、中国東北部）の奉天（現、瀋陽）の郊外にある柳条湖で、関東軍（満州駐留の大日本帝国陸軍）が、日本経営の南満州鉄道の線路を爆破したことに端を発しました。南満州鉄道とはもともとロシアが建設した鉄道で、私の生まれた長春と遼東半島の旅順を南北に結ぶものです。

この鉄道とその支線は日露戦争で日本が勝利したため、一九〇五年のポーツマス条約でロシアから、清国の許可を得たうえで、旅順、大連の租借権とともに日本に譲渡されたものです。しかし日本は日露戦争で多大な犠牲を払い占領した広大な南満州を、寛大にもそのまま清国に返しました。

清国とは、漢族ではなく満州族が支配する国です。満州族が中国大陸を占領して清国を作ってから満州族の多くが首都の北京近くに移住したため、満州は長いあいだ馬賊はびこる無法の荒野でした。それでも満州族の本拠地ということで清国に主権があったのです。清国は、自力ではどうしてもロシアから取り戻せなかった満州を取り戻してくれた日本に感謝の念を持っていましたから、南満州鉄道の譲渡を認めたうえ、鉄道を経営し守備するため、線路や駅周辺の付属地に日本人の居住ばかりか日本軍の常駐まで認めました。さらには沿線にある鉱山の採掘権とか並行する鉄道建設の禁止などという、少し日本にとって虫のよい要求までを認めました。

一九〇〇年のアムール川事件における二万名余りの虐殺を初めとしたロシアの蛮行に泣き寝入りしてばかりいた清国は、日露戦争中は中立を貫きましたが、陰では日本軍にいろいろの便宜を図るなど協力的でした。日露戦争後の十年間ほどは日中関係が珍らしくとてもいい時期だったのです。日本は南満州鉄道会社という半官半民の会社を作り、初代総裁として後藤新平が就任し、人もまばらな大荒野に鉄道事業だけでなく、近代都市建設に取りかかったばかりか、炭鉱開発や製鉄業を始めたり、港湾、上下水道、電力といったインフラの整備までしました。

日本がポーツマス条約で得た満州における権益を着実に実行し始めたのです。

排外思想をもった国民党

一方の中国では相変らずの混沌が続いていました。

一九一一年に孫文による辛亥革命が起き、その翌年、清朝が倒れ中華民国が成立しますが、相変らずの軍閥割拠で統制はとれません。

一九二〇年代に入ると、ロシア革命の影響で共産勢力も勢力を伸ばし、国内はほとんど無政府状態でした。ほとんどの人々は極貧の中でその日の食物さえ得られればという生活を送っていました。その中で孫文亡き後の国民党の実権を握った蔣介石やコミンテルン指導下の中国共産党などが排外思想を国民にばらまきました。

悲惨な日常に不満を抱く人々の間に、外国人への憎しみが燎原の火のように広がりました。中国に居住する外国人の生命や財産は一気に脅かされることになりました。「困窮の原因は外国人にある」と人々を煽り排斥のため外国人に集団で襲いかかる、というのはそれまでに幾度もあったことでした。政府への不満を外国への憎しみにすりかえるというのは中国が現在もよくとる手法です。識字率が一割程度という状態では国際法も条約も頭にありませんから、あっという間に排外思想は蔓延し暴行が各地で始まりました。

無論、中国人の言い分にも一理があります。屈辱的な領土割譲だけでなく、不平等条約が中国経済を苦しめていたからです。第一次大戦中の日本による対支二十一カ条要求など、日本を含めた外国の横暴や卑劣に中国人が怒るのは当然です。

しかし最大の責任はいつまでたっても変らない無能で腐敗した中国政府にあるのです。道義も道理もない弱肉強食が帝国主義のルールだからです。日本は黒船四隻でそれに戦慄し阿修羅のごとく国を整備強化し始めたのですが、中国はいつまでもこのルールの非情に気付かないのです。それに外交上のことは地道に外交で解決すべきで、このような暴動では解決しません。実際、十九世紀半ばから、暴動を起こし外国人を襲うたびに賠償金や租界地や権益を取られたり大損を繰り返してきたのです。それでも学習しないのです。

とりわけ満州の日本人は大変な目に遭遇することになりました。日清戦争の頃には馬賊だらけの不毛の荒野だったのを、日露戦争後二十年の間に、日本は海外から大借金までして資本を投下し、多くの日本人を移住させ、農業、鉱業、林業を興し、インフラを整え、中国の他の地域とはまったく違う住みやすい土地へと着々と変えて行きました。しかし残念なことに、この営々たる努力に感謝するような人々ではなかったのです。

世界の共産化を図るコミンテルンの影

一九二七年（昭和二年）には南京で、国民革命軍（蔣介石率いる親ソ容共の軍）が日英米などの領事館や学校や居留民を襲い暴行と虐殺を行ないました。日本領事夫人まで凌辱されました。

米英は揚子江から艦砲射撃で反撃しましたが、日本の軍艦だけは日支友好を唱える幣原外相の対中宥和政策により、日本人居留民を見捨て下流へ逃げてしまいました。

断固たる行動をとる米英に協調しなかったことは日本にとって思いもかけない大きな傷となりました。ずる賢い日本が自分だけ良い子になって権益を独り占めしようと企んでいる、という疑念を米英が抱くようになったのです。この事件後、米英は秘かに対中接近を図り、中国を反日へ駆り立てるよう画策し始めることとなりました。

なおこのような愚劣な事件を蔣介石自らが指令するはずもなく、日本を含め列強は、ソ連のコミンテルンによる指令の下、共産分子が反共主義者蔣介石の失脚を狙ってしたものと見抜いていました。だから事件後、蔣介石は多くの共産党員を処刑し、中国とイギリスはソ連との国交を断絶しました。昭和になって起きた国際的事件の大半には、コミンテルンの影が見られます。世界の共産化を企図するコミンテルンを考慮に入れず、昭和を語ることはできません。

力を見せつけない限りどこまでも増長する中国は、日本の弱腰を見て、翌一九二八年にも済南で、多数の在留邦人を暴行、虐殺し、男女を問わず、多くの死体には凌辱まで加えました。今度は居留民を守るため三千五百人からなる日本守備隊が数万の大軍を相手に局地戦を戦いましたが、中国は例によって、日本軍の一方的攻撃により大きな被害が出たと海外に宣伝しました。

済南に住む欧米人は真相を知っていて、海外の新聞はみな日本に同情しました。「日本軍がいなければ済南の外国人はことごとく殺戮されたに違いない」という記事まで出ました。死体への凌辱というのは中国では古来よくあることでしたが、「死んだら仏様」の日本人にとっては想像を絶することであり、日本の国民は怒りに震えました。しかし日本政府は強硬な抗議をしませんでした。

一九三〇年には、禁止されていた並行線を建設し始めました。乗車賃を格安にすることで南満州鉄道を破綻させせようという計画でした。日本人の土地利用や鉱山経営も禁止しました。翌一九三一年には正式のパスポートを持って旅行中の中村震太郎大尉と他三名を銃殺し焼き捨て、万宝山では二百人ほどの朝鮮人農民（当時は日本人）を虐殺しました。

日本では軍部ばかりか国民の怒りも沸騰しましたが、政府は中国に調査を依頼したくらいで抗議は行いませんでした。中国は「事実無根」と回答しただけでした。今も昔も同じです。鉄道に対する運行妨害、列車強盗、駅や電線の略奪などは数百件に達していました。

しかし日本はありとあらゆる国際法違反を国際世論に訴えることもしませんでした。穏便にすませることばかりを考えている政府、満州を強欲ロシアから多大な犠牲を払い取り返してやった恩をことごとく仇で返す中国に対し、軍だけでなく国民の不満も爆発寸前になっていました。満州事変勃発二カ月前の調査では、満州での武力行使を東大生の八八％が支持していました（『丸山眞男の時代』竹内洋著、中公新書）。

国会では、二大政党の民政党と政友会が統帥権干犯などというくだらない問題で足を引っ張り合うばかりで、折からの恐慌にもうまく対処できない状態でした。現在の自民党と民主党のつまらない争いによく似ています。二大政党制が日本に適切なのか疑問になるほどです。こんな状況の中、国民も軍に期待するようになって行ったのです。

このような空気を見て関東軍は満州事変へと突っ走りました。柳条湖で鉄道を爆破し、それが中国の仕業だと嘘をつき戦端を開きました。政府も陸軍中央部も不拡大方針でしたが、たまりにたまった怒りに燃える関東軍はそれを無視して拡大しました。関東軍参謀の石原莞爾などが事前に綿密な計画を立て、軍中央や政府の許可なく独断で実行したのです。たった一万数千人の関東軍は五カ月ほどで十倍近い張学良軍を粉砕し全満州を占領しました。今の価値観では許されざる暴挙と言えますが、このような状況下での軍事行動は、見え透いた嘘をも含め当時としては常識の範囲内でした。今も昔も戦争を始める時はしばしば嘘をつきます。イラク戦争でも米英は「イラクに大量破壊兵器がある」と嘘をつき、独仏中の反対を押し切り攻撃を開始しました。

他の列強なら、ずっと以前に中国への報復に出ていたはずです。だからこそ在中の米英人の多くは、止むを得ないと思っていました。当時、アメリカの上海副領事をしていたラルフ・タウンゼントが事変の二年後、一九三三年に著した『暗黒大陸 中国の真実』には、こう書いてあります。

「在中の米英の官民の大勢はこうである。『……我々が何年もやるべきだと言っていたことを日本がやってくれた』」

タウンゼントは、満州事変を契機に一気に米世論が反日一辺倒となったことについて次の趣旨のことを書いています。「何年も前から中国当局は略奪行為を黙認し、反日プロパガンダをし、線路に石を置き、日本人を狙撃、殺害した。このようなことが起きていたことをアメリカに住む人々は知らないのだ。新聞に載るのは、宣教師や上級外交官といった、中国におもねっている連中からの情報ばかりだからだ」

また彼は、「中国にいる外国人で中国人に同情する者は宣教師以外にいない」とも書いています。南京事件でも触れましたが、宣教師は布教を有利にするため本国に中国政府べったりの情報を流していたのです。中国の世界一の宣伝工作もアメリカにおける反日感情を煽っていました。これはこの六年後の南京事件でも同様でした。

「リットン調査団」は何を語ったか

日本は満州全土を占領するや、一九三二年（昭和七年）、満州国を建国しました。国家元首には清朝最後の皇帝溥儀が就きました。関東軍が、復辟《ふくへき》（一度退位した君主が再び位につくこと）を願う溥儀を利用し、また同時に、溥儀が関東軍を利用したのです。

なお、戦後の東京裁判でソ連側の証人として法廷に立った溥儀は「日本軍に生命の危険を脅かされやむを得ず帝位を受諾した」「日本は神道による宗教侵略をしようとした」などと証言しました。戦後ソ連の収容所に抑留されていた溥儀はソ連当局に言われたように話したのですが、彼の証言には反証が多くあり裁判証拠として採用されませんでした。

この年、中国が国際連盟に満州事変を訴えました。リットン調査団が満州に派遣され半年間の調査の末、リットン報告書が提出されました。そこでは次のように分析されました。

（一）日本軍の軍事行動は自衛的行為とは言い難い。
（二）満州国は地元住民の自発的な意志によるものではない。
（三）満州に日本が持つ権益は尊重されるべき。

（四）満州には世界の他の地域に類例を見ない特殊性があり、ある国が隣国に侵略されたというような単純な事件ではない。

（一）と（二）は中国寄りで、（三）と（四）は日本寄りで、当時の国際常識に沿ったものであり、まずまず妥当な分析と思われます。

ただし、溥儀の教師を六年間勤めたイギリスのR・F・ジョンストンが、帰国後ロンドン大学で東洋学の教授をしていた頃に著した『紫禁城の黄昏』（中山理訳、渡部昇一監修、祥伝社黄金文庫）の第十六章で、リットン報告書の（二）に異議を唱えています。満州には満州の独立運動が広汎にあったと明言しております。

なおジョンストン教授のこの本は、東京裁判では証拠文献として弁護側が提出しましたが却下されました。関東軍による独立国建設がある意味で民意を具現化したものとなると連合国に都合が悪いことになるからです。なお、これほど重要な意味をもつ第十六章は同書の岩波文庫版では丸ごと削除されております。

リットン調査団は提言として次のように言います。

（一）中国の主張する事変以前への原状回復、日本の主張する満州国の承認は、ともに問題解決にならない。

（二）満州には中国主権下の自治政府を樹立し、非武装をする。
（三）日本の特殊権益を認める。

この提言も同じ意味で妥当と思えます。（二）の中国主権下というのは、辛亥革命によって中華民国が清国の領土と借金を継承したからです。以後二十年間、満州は歴史上初めて漢人の主権下に入ったのです。ただし軍閥や馬賊に支配されており、実効支配はされていませんでした。

満州は中国のものなのか

満州事変は今日の国際常識では文句なしの侵略戦争です。何はともあれ主権者の中国に無断で軍隊を進攻させたうえ、占領地に満州国という傀儡《かいらい》政権まで作ったからです。

確かに満州国は、皇帝として溥儀が君臨し、閣僚も現地の人々がほとんどを占め、五族協和（満州族、蒙古族、漢族、朝鮮族、日本族の協和）を謳っていました。しかし総理の下には日本人の総務長官、各大臣の下には日本人の次長がいて、主導権は彼等日本人が握っていました。その上、国防と治安も主導権は日本に委ねられていました。これでは、どこからどう見ても侵略となります。

それでは、なぜリットン報告書は半年間の詳しい調査の末に、「ある国が隣国に侵略されたというような単純な事件ではない」とか「国連監視の下で自治政府を作り日本の特殊権益を認める」という結論を出したのでしょうか。

今の私達の常識で判断するなら、直ちにそのまま中華民国にお返しするのが当然なのに、なぜこのような納得のいかない結論を、イギリスのリットン伯爵を長とする英独仏伊米あわせて五名からなる委員、オブザーバーとして日本と中国から一名ずつの調査団は出したのでしょうか。とりわけ「満州には世界の他の地域に類例を見ない特殊性がある」とはどういうことかです。

リットン調査団の胸中までは分りませんが、三つの大きな理由が考えられます。

まず第一に、満州とは歴史的に満州族のものでした。歴史的に中国とは万里の長城より南の、漢族の支配する土地を指していました。満州語は漢語とは文字からして似ても似つかぬものでした。ところが一六四四年、満州に生まれた清国が万里の長城を越え北京を占領し満州人による中国支配が始まったのです。この清国は百年もしないうちに万里の長城を大きく越えて南北モンゴル（今の内蒙古と外蒙古）、西は東トルキスタン（今の新疆）やチベット、東は台湾まで領土を広げてしまいました。

中国が現在、台湾、新疆、チベットを自領と言うのは満州族の作った清国領土が最大に達したこの頃の版図《はんと》を基準に考えているからです。中国、すなわち漢族の国は満州族、朝鮮族、日本族を二千年間も東夷と呼び蔑視していましたが、そのうちの満州族に征服されていたほぼ二百五十年間ほどの状態を基準としているのです。

「奢れる者久しからず」で全盛期から百年もたたないうちに清国は衰退を始め、十九世紀になるとイギリスを筆頭に列強諸国の餌食となり半植民地となりました。一八五〇年には太平天国の乱で「滅満興漢《めつまんこうかん》」（満州族を滅ぼし漢族を興せ）、一九〇〇年には義和団の乱で「扶清滅洋《ふしんめつよう》」（清を助け西洋を滅ぼせ）などがありましたが、ついに一九一一年、漢族の孫文らが清朝打倒に立ち上がり（辛亥革命）、翌一九一二年、南京に中華民国を樹立し、清朝最後の皇帝である宣統帝（溥儀）は退位して清国は二百七十六年の幕を閉じたのです。

すなわち、この時点まで、中国イコール漢族が満州を直接統治したことはなかったのです。清朝末期まで満州は帝室の故郷として漢族の植民さえ強く制限されていましたが、その後は漢族の流入が急増していました。

中華民国は清朝の領土を継承しましたが、統治するだけの実力がないので外蒙古は独立を宣言してしまいましたし、満州も実態は軍閥の群雄割拠という有様でした。満州は馬賊の跳梁跋扈《ちょうりょうばっこ》する地でしたが、やがてそのうちの一人、奉天の張作霖が満州を支配していました。すなわち確かに公式には中華民国領ですが、実質はグレイゾーンのような地域だったのです。

次々と犯された日本の権益

第二に、張作霖は日露戦争中、ロシア側のスパイとして活動したため日本軍に捕まった人間です。満州軍総参謀長の児玉源太郎は、日露戦争前の十年余りにわたり、来たる日の戦役に備え馬賊工作を進めていた情報部長の福島安正と相談した上で、張作霖を逆に日本側のスパイとしてから釈放しました。以来、福島安正に恩義をもつ張は日本のためによく尽力しました。

一九二八年の頃、田中義一首相は日露戦争以来よく知っている反ソ親日の張作霖に、満州をまとめさせようと思っていましたが、張作霖は河本大作大佐の個人的な策略で爆殺されてしまいました。

田中首相は国際的信用を落とさないため首謀者達に厳罰を与えようとしましたが、血迷った陸軍の反対によりできませんでした。これを天皇により叱責された田中首相は総辞職し、間もなく亡くなりました。昭和天皇は以後、政府の方針に反対であっても一切口を挟まないことにしました（『昭和天皇独白録』）。張作霖の後を継いだ息子の張学良は激しい反日で、すぐに蔣介石の国民党と組みました。国民党と一緒になって、排外、とりわけ日本勢力打倒のため、南満州鉄道の運行妨害や並行線建設、満州における親日派幕僚の粛清、日本製品ボイコット、日本人の土地利用や鉱山経営の禁止、など、それまでの条約を片端から無視して排日政策を実施しました。そこで先述のように、東大生の大多数ですら武力行使を是認するほど国民が憤激していったのです。

ここまでされればどこの国民でも暴発して不思議ではありません。だからリットン報告書は、満州において国際法で認められていた日本の特殊権益が次々に犯されたことが、日本をこのような行動に駆り立てたと考えたのです。

移民受入先としての大地

第三は経済的側面です。

一九二九年のウォール街での株式大暴落によりアメリカは不況に陥りましたが、一年ほどたつとこれが他の諸国に波及しました。英米仏は国内企業がバタバタと潰れ始めたため、アメリカはドル圏、イギリスはポンド圏、フランスはフラン圏を設定し、自由貿易はその内部だけに限りました。他国から輸入を阻止するため高関税をかけたのです。

植民地を多く持つ国はよいですが、日本のような国はこれらの国々への輸出ができなくなり大変困りました。これでは不足する主食の米さえ輸入できなくなります。日本は一九二七年（昭和二年）に起きた金融恐慌から立直る前に、世界恐慌とこのブロック経済による痛撃が加わり、大不況となりました。

エリート中のエリートである帝大生でさえほとんど就職口がない有様で、「大学は出たけれど」と言われました。無線電信講習所（現電気通信大学）を一九三二年に卒業した私の父は、無事中央気象台へ就職できました。これは恐らく、当時父が中央気象台にいた伯父咲平の家から学校へ通っていたからでしょう。

都市部では中小企業の倒産が相次ぎ、失業者が街に溢れ、農村は米価と生糸価格の暴落で大打撃をこうむり、東北地方などでは学校に弁当を持ってこれない欠食児童とか娘の身売りなどが相次ぎました。当時の農村は米とまゆの二本柱で成り立っていましたから、一九三一年の農家の平均年収は、二年前に比べ半減したのです。

当時の人口の約半数は農民でした。その頃、各国と同様に日本も徴兵制でしたが、旧制の中学、高校、大学で学んでいる学生に対してはまだ徴兵猶予がありましたし、熟練労働者なども徴兵されませんでした。従って若い兵隊の大多数は農村出身ということになります。

当然ながらこういう兵隊達を大量に抱えた軍部は、農村の悲惨に深い同情を持っていて、政争に明け暮れている政府に頼るより、自分達がこういった問題を根本から解決しなくては、と考えるようになりました。大きな植民地を持つ国がブロック経済に走るのだから日本も生存のためには植民地を持たなくては、と切実に考えるようになったのです。

さらには人口問題もありました。明治維新以降、日本の人口は急激に増加したため、明治二十年代から国策として貧困農民層のブラジルやアメリカへの移民が奨励されていました。ところが一九二四年にアメリカで排日移民法が成立し、日本からアメリカへの移民が全面禁止されたのです。『昭和天皇独白録』にもあるように国民は憤慨しました。アメリカ人を妻にもつ新渡戸稲造でさえ「二度とアメリカの地を踏まぬ」と言ったほどでした。

移民受入先としての満州ということもありましたから、国民、新聞もこぞって満州進出を支持したのです。

帝国主義時代のルールとは

今から見ると、絵に描いたような侵略と見えるのに、リットン調査団があのような少々日本寄りの結論を出した理由の底には、これら三つのことがあると考えられます。

すなわち満州が中国の主権下とはいえグレイゾーンでもあったこと、日本権益は条約によって守られていたものなのに中国がそれを無視する違法な行動に次々に出たこと、大恐慌でのブロック経済により市場を締め出されたり、アメリカへの移民さえ拒否された日本は生存のために外に出るしか他なかったことなど、日本の立場を斟酌《しんしゃく》したのです。

無論、調査団委員達の母国も大恐慌のど真中で、極東のことに本気でかかわっている余裕がないという事情もありました。ドイツがパリ講和会議で決められた賠償金を払わなくなったことも英仏の頭痛の種でした。満州の混沌は、中国自身がいつまでたっても無政府状態で自力では解決できないから、欧米列強の既得権益を侵さない限り日本が穏やかな形で解決してくれればよい。西ヨーロッパの赤化に失敗したソ連が、満州、中国に焦点を絞り活動を活発化してきているから、それを防ぐ意味で満州に日本の勢力が存在することは悪くない。帝国主義の真只中ですからこんな風にも思ったことでしょう。

ただし日本陸軍には別の思惑もありました。

満蒙（満州と東内蒙古）を生命線と考え、中国から切り離そうと考えたのです。共産圏拡大を狙い、常に太平洋への出口を求めるソ連はいつか必ず南下して来るだろう。その時にはアメリカが太平洋から攻めてくる可能性もある。いずれにせよ、ソ連やアメリカが相手となれば資源獲得のためにも満蒙は不可欠と考えていました。

第一次大戦におけるドイツの敗戦原因をつぶさに検討した永田鉄山たち陸軍エリートは、武力では最後まで連合国を圧倒していたドイツが結局は敗北したのは、食料不足による戦意喪失や革命思想の台頭にあった、と分析しました。これからの戦争は軍隊同士の戦いというより国家総力戦であると結論したのです。それには経済封鎖にも耐えうる国家にしなければならず、そのためには鉄や石炭が豊富にある満蒙が必要ということになったのです。

いずれにせよ、満州事変から満州国建設についてリットン調査団はこのように結論を下しました。

ただし中国側にも言い分はあります。十九世紀以来、列強が力ずくで中国の領土を蚕食していたからです。列強の手口は、中国の混沌に乗じ言い掛かりをつけ、武力で土地や利権を獲得すると、それを中国に正式な条約で認めさせる、というものでした。道徳も倫理のかけらもないものでした。

国際法などが二十世紀になって登場しましたが、それに抵触せずに武力を用いる口実はいくらでもでっち上げられますから、実質的な歯止めは「他の列強が認めるかどうか」だけでした。ある列強が卑劣なことをすると、当然、他の列強に非難されますが、同種のことを真似てやった国は前例があるということで軽く批判されるだけ、三番目からは舌打ちされるだけですまされる、というのが通例でした。数ある弱小国の意見は蚊帳《かや》の外です。弱肉強食です。この「他の列強が認めるかどうか」こそが、実は国際常識と呼ばれるものであり帝国主義の唯一のルールでした。

これは日本も例外ではありませんでした。特に第一次大戦中の対支二十一カ条要求は酷いものでした。第一次大戦に参戦した日本は、山東半島の付け根にある青島のドイツ軍に猛攻を加え壊滅させました。そして山東半島にドイツが保有していた権益プラスアルファをいただくため、この二十一カ条要求を中華民国につきつけ、そのうちの十六条を呑ませました。中立国である中国がドイツに与えた権益を、ドイツを追い出したからと言って日本がとるわけにはいかないはずですが、威嚇により呑ませたのです。列強がヨーロッパの戦争に没頭している隙をついたのです。空巣狙いです。

この権益は第一次大戦後のパリ講和会議で中国の顧維鈞代表の正当な異議申し立てにも

拘らず、正式に認められました。日本は第一次大戦中、連合軍支援のため地中海へ駆逐艦を出す際に、代償として山東権益を認めてくれるよう、英仏などと秘密協定を結んでいたからです。

かくしてパリ講和会議で山東半島の権益獲得は合法的となりました。帝国主義のルールに沿ったものでしたが、当事者中国をないがしろにしたこのやり方は余りにも卑劣です。中国人が日本を怨むのは当然だったのです。清朝末期から第二次大戦までの百年間の、列強と中国の関係は、狡猾かつ卑劣な列強の合法的進出に対し、無知蒙昧な中国が不法だが同情すべき暴行虐殺で対抗する、という図式だったのです。

これが帝国主義の姿だったのです。日本は他の列強がさんざんしてきたことを手本にしたのでした。満州事変は現在の定義ならあからさまな侵略であるのに、当時の定義では侵略と言い切れるものではなかったのです。

『昭和天皇独白録』はこう語る

満州事変は正当性に欠けるものの、ただの侵略戦争とも言えない。だから満州国は中国主権下の自治政府とし、日本人ばかりでなく欧米人も運営にかかわるようにする。そこでの日本の権益は守られるべきだ。こんな内容のリットン報告書は当時の国際常識から見て実に妥当な結論でしたから欧米諸国もこれを歓迎しました。

ところが日本はこれを拒否したのです。

満州事変後に首相となった犬養毅は、満州国が傀儡政権であり、これを作った関東軍のプロセスが余りにも乱暴過ぎる、これを日本が独立国として承認するようでは国際的批判を浴びると考え、軍部の圧力にもかかわらず独立国としての承認を拒否していました。犬養はリットン調査団の提言に似通った考えを持っていて、独立国でなく中国主権下の親日政府を、かつて個人的に面倒を見た蔣介石とのパイプを使って実現しようと思っていたのです。ところがこの犬養首相が五・一五事件で殺害されると、待っていたかのように日本政府は満州国を承認してしまったのです。リットン報告書の出る直前でした。こうして引くに引けなくなりました。

翌一九三三年、国際連盟総会において、リットン報告書は、賛成四十二、反対一（日本）、棄権一（タイ）で可決され、松岡洋右全権は議場から退席しました。国連から脱退してしまったのです。

実は「満州国承認だけは譲れない」という欲張った考えには松岡自身も批判的でした。

そんなことに拘《こだ》わり国連を脱退することの無意味を知っていたからです。それどころか、昭和天皇もこのリットン報告書は妥当と思われていました。『昭和天皇独白録』にこうあります。

「私は報告書をそのまゝ鵜呑みにして終ふ積りで、牧野、西園寺に相談した処、牧野は賛成したが、西園寺は閣議が、はねつけると決定した以上、之に反対するのは面白くないと云つたので、私は自分の意思を徹することを思ひ止つたやうな訳である」

牧野とは、天皇を政治問題など職務全般で補佐する内大臣の牧野伸顕（大久保利通の二男で吉田茂の岳父）で、西園寺とは当時唯一の元老であった西園寺公望です。昭和天皇は『牧野伸顕日記』（中央公論社）にもあるように、政府方針に強い不満を持っていましたが、かつて自らの口出しが田中義一首相を退陣に追いこみ、恐らくその直後の急死へと導いたことに懲りて強い発言を慎しむようになっていたのです。

関東軍が独断で満州事変を起こしてからしばらくは批判的だった政府も、軍事的成功が余りに華々しかったので血迷ってしまったのです。そして国連脱退という愚行にまで行ってしまいました。

リットン報告書を受諾して、すなわち名を捨て実を取り、アメリカやイギリスにも満州国の利権を一部譲ってやる位のことをしておけば、日本は英米と協力し共産ソ連の南下に対抗できたのです。絶好の機会を逸した上に日本は世界の孤児となったのです。冷徹な計算のない、余りに拙劣な外交には嘆息が出ます。そして、日本の生存のためには「名を捨て実を取る」以外にない、と躊躇なく判断された昭和天皇の直観には恐懼《きょうく》するしか他ありません。

盧溝橋で何が起きたか

さてその後、四年間ほど日中間に大きな衝突はありませんでした。蔣介石が当面の使命は日本と戦うことより共産党勢力を駆逐すること、と定めたため国民政府軍は共産党軍討伐で忙しかったのです。

その結果満州国は、当初こそ日本の植民地的色彩が強かったものの、日本が欧米からの借金で大々的な資本投下を行いましたから重工業が育ち、インフラが整備され、治安もめっきりよくなりました。日本からの開拓民ばかりか、毎年百万人以上の中国人が満州国へ移住して来るほどでした。

関東軍が暴力によりでっち上げた傀儡国家とは言うものの、生真面目で責任感の強い日本人は、日本人がたった二％足らずというこの国を、本気で豊かな住みよい国にしようと全力をつくしたのです。一九三七年（昭和十二年）からの満州産業開発五カ年計画は、日本の一九三七年歳出予算の倍近い規模でした。余りに多額を満州に費すので、貧困にあえぐ東北地方の人々が反対の声を上げたほどでした。

ところが一九三六年末、蔣介石は部下であり熱狂的反日主義者の張学良に西安で拘束され、周恩来との会見がなされた結果、国共合作（国民政府軍と共産軍が協力し日本に当たること）を約束させられました。共産主義を嫌悪する蔣介石がこれを呑んだというのですから、相当の脅しがあったのでしょう。その頃、毛沢東率いる共産軍を支えると同時にコミンテルンを通して中国の共産化を強力に推進していたソ連が、是が非でも国共合作をと色々の工作を行なっていたのです。国民政府軍に圧倒される寸前の共産軍を救うため、国民政府軍の矛先を日本軍に向けさせようと企んだのです。この国共合作の直後に、ソ連で事実上の人質となっていた蔣介石の息子、蔣経国が帰国を許されました。

そんな中で、一九三七年七月七日、北京近郊の盧溝橋で日中間の小競り合いが起こりました。最初に発砲したのが日本側でないことは明らかとなっています。国民政府軍に紛れこんでいた共産分子という有力な説もあります。

そもそもこんな所になぜ日本の軍隊がうろちょろしていたのか、と誰でも思います。一九〇〇年の北清事変（義和団の乱）の後に結ばれた北京議定書に基づき駐留していたのです。

この北京議定書は、公使館周辺の警察権を列国に引き渡す、最寄りの海岸から北京までの諸拠点に列国の駐兵権を認める、清国の年間予算の五倍近い賠償総額を列国に払うという、清国にとって過酷な条件でした。北清事変は清国に責任があったとは言え、これだけ屈辱的な条件を、拒否を一切認めない姿勢で呑みこませたのは、帝国主義というルールの冷酷非情でした。気の毒なのは清国とそれを継いだ中華民国でした。とはいえ駐兵はまったく合法的だったのです。

この日本軍に対し、中国側から七夕の夜陰にまぎれた断続的な銃撃が何度かあったのですが、断続的であったため敵の意図がつかめず、牟田口連隊長は兵を防衛の姿勢に入らせただけで自重を命じました。日本軍に中国軍を攻撃する意志はまったくありませんでしたし、中国軍にあるともすぐには思えなかったからです。明け方になって迫撃砲を射ってきたのを見て初めて、明白な攻撃と断じ反撃を命じました。初めの発砲を受けてから反撃開始まで七時間もたっていました。

この衝突に関し日本側は、政府も参謀本部もそろって不拡大方針をとりました。日本陸軍の仮想敵国は明治の頃から一貫してロシアそしてソ連であり、何の得にもならない中国との本格的戦闘をこの時期に始めることなどは誰もが避けたかったからです。従って間もなくこの戦闘は停止されました。

ところが盧溝橋事件で一件落着とはなりませんでした。

実は盧溝橋事件に先立つ二年間ほど、中国では対日テロが頻発していました。日本人経営の商店や工場も襲われていました。満州事変の前と同じく挑発の連続です。日本はこれらに対して簡単な抗議をしただけでした。盧溝橋での発砲もその流れにあるものでした。だから、四日後に事件の解決がなされた後も挑発が続きました。大紅門事件、廊坊事件、広安門事件、と日本兵殺害が相次ぎました。そしてとうとう、七月二十九日、中国兵三千名が北京近郊通州の日本人居留民を襲い、婦女子を含む二百三十名を虐殺したのです。女性を強姦したうえ死体に凌辱を加え、喫茶店の女子店員の生首をテーブルの上に並べ、殺した子供の鼻に針金の鼻輪を通すなど少くとも日本人にとっては想像を絶する殺し方でした。

それでも事を荒立てたくない日本は、それまでのように隠忍自重をしました。普通の国ならこの段階で宣戦布告となり、それを侵略と呼ぶ人は世界中で中国人以外には当時一人もいなかったでしょう。自衛戦争だからです。激高するマスコミや国民の声にもかかわらず、政府と軍部は想像を絶する忍耐力を示しました。それほど中国などと無意味な戦争をしたくなかったのです。

次いで八月九日には南の上海で大山中尉と斎藤水兵の乗る車が待伏せを受け二人とも射殺されました。これらの事件はほとんどどれも蔣介石とは無関係で、日本を戦争に引きずりこむための共産党員による仕業との疑いがもたれています。

さらに八月十二日には同じ上海で、今度は中国正規軍が日米英仏伊などの国際共同租界の日本人区域を包囲しました。上海には自国民を守るため、五カ国の軍隊、米軍二千八百人、英国軍二千六百人、日本軍二千五百人、仏軍二千人、伊軍八百人ほどが普段から合法的に駐留していましたが、そのうちの日本軍に翌十三日、機関銃攻撃、次いで砲撃を始めました。

不拡大方針に従っていた海軍陸戦隊四千人は約十倍の敵正規軍に対して防衛的反撃に移りました。翌十四日には黄浦江に浮かぶ日本艦を狙った空襲まで行なわれました。外れた爆弾が国際共同租界に落ち二千名ほどの死傷者がでました。

中国軍による度重なる協定違反の攻撃に当面し、堪忍袋の緒が切れた近衛内閣は緊急閣議を開き、それまでの不拡大方針を捨てました。上海派遣軍を送り本格攻撃に切り換えたのです。日中戦争が始まったのです。日中戦争は盧溝橋事件ではなく、この上海において始まったのです。日本が無数の挑発に耐えられなくなったのです。

八月三十日のニューヨークタイムズは「日本軍は敵の挑発の下で最大限に抑制した態度を示した」、ニューヨークヘラルドトリビューンは九月十六日に「中国軍が上海地域で戦闘を強制したのは疑う余地がない」と書きました。

得るもののない日中戦

政府はもちろん、陸軍参謀本部にとっても中国との戦争は気乗りのしないものでした。彼等の頭を占めていたのは明治の頃から一貫して、いつ始まるかも知れない宿敵ソ連との戦争であり、また昭和になってからは、いつの日か起きる可能性のある、中国での利権を狙い日本への敵意を募らせているアメリカとの戦争でした。その日までは兵力を温存し強化しなければならなかったからです。

それに建設されたばかりの満州国を、大国との総力戦に備え確固たる後方基地に育てなければいけません。満州では鉱業や重工業を育てるための、ソ連を真似た五カ年計画も始まったばかりでした。

そして何より、戦争で中国に勝っても何の得にもならないからです。砲弾に用いるタングステンやアンチモン以外に大した資源もなく、大衆は極度の貧困で購買力もないとあっては、戦争をしてまで取るだけの市場としての魅力もなかったからです。それにたとえ武力占領したところでそれを維持し統治することなど広大過ぎてとてもできません。だからこそ、十九世紀以来どの列強も中国占領を考えなかったのです。占領はできても維持できないから、一定地域での利権やある一画の租借権に止めていたのです。

日本は無意味な戦争であることを承知していましたから、その年の十一月にはドイツ駐華大使のトラウトマンを通して和平工作を模索しました。当時ドイツは中国の希少資源と交換に武器を与え、中国が日本に対抗できるよう重工業を起こし、国民政府軍に軍事顧問団を送るなど中国を本格的に支援していました。第一次大戦の賠償金支払いで資金のないドイツおよび貧しい中国にとって理想的なバーター貿易、すなわち物々交換だったのです。

実際この中独合作は、政権についたヒットラーの軍需産業振興に役立ち、一方では中国産業や国民政府軍の近代化を強力に推進していました。ドイツは日本と前年に日独防共協定を結びながら、国防省や外務省が中心となり日本を敵とする中国に全面的肩入れをする、という裏切りに近いことをしていたのです。南京安全区の国際委員会の委員長をしていたドイツ人ラーベも、実はナチス党員であると同時にシーメンス社の中国支社長として、電話施設や発電所施設の他、大量の武器をも売り込んでいた死の商人でもありました。当時、蔣介石軍の使っていた武器の大半はドイツ製だったのです。

日本軍の占領により三十年間にわたる中国での商売をたたまざるを得なくなった彼は、帰国後、予定されている三国同盟を中止させようと反日宣伝を繰り広げました。そのため逮捕されたり左遷されたりと失意の日々を送りましたが、その時に書いたのが、南京などでの日本軍の蛮行を描いたいわゆる『ラーベの日記』でした。南京の国際委員会の報告として日本軍の殺人は四十九人と報告した人が、この日記では五万〜六万人と千倍に増やしました。何年かたってようやく思い出したのかも知れません。

上海陥落

自信を持った蔣介石は挑発に乗って進撃して来るだろう日本軍を殲滅《せんめつ》しようと、数十万の軍隊を上海に集結させ、ドイツ人軍事顧問ファルケンハウゼンの指導で上海西方に築いた、第一次大戦並みの堅固な塹壕ゼークトラインで日本軍を待ち構えていました。

十分の一にも満たない日本軍でしたが、それまでの中国軍との戦いでその弱兵ぶりを熟知していますから、蹴散らす積りで一気に堅固な塹壕に向かいました。ファルケンハウゼンに作戦指導されたこの最精鋭軍は強く、たった二カ月ほどの戦闘で日本軍は死傷者四万名余りという犠牲を払いやっとゼークトラインを突破し上海を陥落させました。日本軍はそのまま南京へ潰走する国民政府軍を追撃しました。そして先述の南京戦が始まったのです。

蔣介石の怒りも当然だった

こう書くと中国が一方的に悪いようですが実はそうでもありません。

一九三五年（昭和十年）あたりから日本は、満州国のめざましい発展を耳にした隣りの華北住民が、国民政府に強い不満を有しているのを利用し、華北を国民政府から切り離し日本の影響下に置こうと、色々の画策をしていたからです。華北に親日的な自治政府を作ることで満州を安泰にしたかったのです。自分勝手な都合です。そのために一九三六年、支那派遣軍は関東軍の華北への介入を抑制するという名目で、華北駐留の兵力を二千名弱から五千名余りに増強したりしました。

もっとも満州事変を起こした石原莞爾はこの頃参謀本部作戦部長でしたが、こういった戦線拡大に強く反対していました。それもあり盧溝橋事件の後、石原は関東軍に左遷され、そこでも東条英機と衝突し一年足らずで再び左遷されてしまいました。彼の桁外れの才能を見抜き唯一の強力な後盾だった実力者、永田鉄山は一九三五年に相沢中佐に斬殺されていたのです。鬼才石原は日中戦争が泥沼化するであろうことをしっかり見抜いていたのです。

蔣介石から見れば、東夷の地、満州までなら我慢もできますが、万里の長城から南は歴然として中国のものであり、そこで勝手なことをこそこそしている日本はけしからん、となります。当然中の当然です。

陸軍の出先はともかく、中央はなお断固たる不拡大方針を貫いていました。無意味な戦争であることを政府も陸軍参謀本部も熟知していたからです。上海派遣軍が敵を追って南京まで攻めることにも反対したほどです。

しかし四万人以上という日露戦争における旅順攻略戦に近い犠牲を払った上海派遣軍は、憤怒《ふんぬ》に燃えていて中央の命令を無視しました。満州事変での石原莞爾の独断専行が処罰されなかったため、参謀本部を無視することに抵抗が少なくなっていました。政府も軍部の行動を制御することができなくなっていました。一九三〇年頃から、軍部が統帥権（軍隊は天皇の指揮権下にあるということ）をふりかざし始め、これを無視する政治家は浜口首相や犬養首相などのようにテロで殺されていたからです。

広田外相によるトラウトマン和平工作も続いていましたが、蔣介石がのらりくらりとしていて返答をしませんでした。陸軍参謀本部は何としてでも和平を達成しようと画策していました。

ところが近衛首相は一九三八年（昭和十三年）一月に、「国民政府を対手《あいて》とせず」という声明を唐突に出し、自ら和平への道を閉ざしてしまいました。この五日前の御前会議でトラウトマン和平工作の続行を確認したばかりでした。多田参謀次長は突然の変心に涙とともに抗議しましたが、近衛は聞く耳を持ちませんでした。共産主義者で側近でもあった尾崎秀実《ほつみ》や西園寺公一《きんかず》などの働きかけだったと言われています。共にゾルゲ事件に連座し逮捕されました。

この声明は最悪でした。ここまでは上海事件の続きで自衛的な戦争と言っていいものでしたが、この声明により国際社会は、日本が和平を求める意志がないととったからです。

黒幕は誰だったか

短期間で終ると思っていた戦争は首都南京が陥落しても終りませんでした。蒋介石が強気だった裏には上海戦が始まるとすぐに結んだ「中ソ不可侵条約」がありました。一九三五年のコミンテルンで宣言されたように、ソ連にとっての仮想敵国はヨーロッパではドイツ、アジアでは日本でした。ソ連にとって、予想されるナチスドイツの侵略に備えるには、アジアでの憂いを解消し、ソ満国境に張りついたままの精鋭軍を西部戦線へ移動させることが望まれます。憂いを解消するには日本と中国を本格的な戦闘におとし入れることが一番です。

そのためにはまず、壊滅寸前の毛沢東率いる共産軍と蒋介石率いる国民政府軍との戦いを止めさせ、共同して抗日戦争をさせることです。このためにソ連は国共合作と抗日民族統一戦線の形成を懸命に企図していたのです。

しかし日本軍は強大過ぎてあっという間にこの抗日戦線は潰されてしまうから、強化のために梃《てこ》入れしなければいけない。

中ソ不可侵条約はそのための切札でした。内容は中独の協力関係を更に深化させたもので、中ソ軍事同盟といってよいものでした。ソ連は中国に対し、飛行機九百二十四機、自動車千五百十六台、大砲千百四十門、機関銃九千七百二十丁を送るばかりか、志願兵という形でソ連パイロットまで送るという内容です。

スターリンはそのうえ、日本軍と国民政府軍が疲弊し切ったら、ソ連の方から満州へ侵攻し日露戦争の復讐をはたすチャンスが生まれる。さらには共産主義を中国全土に広め、毛沢東の共産軍を整備強化しておけば国民政府軍を叩き潰すことも可能になる。こんな読みでした。

スターリンの陰謀を知らずに蔣介石は大いに喜び条約を結び、軍事同盟が成立したのです。この条約の締結交渉が進んでいたから盧溝橋の頃から蔣介石の強気発言が目立つようになっていたのです。ドイツからの援助は、南京戦の前にヒットラー主導で日独伊防共協定が結ばれたため、急速にしぼんで行きました。スターリンが戦争を続行させていた黒幕でした。尾崎など日本の共産主義者もこの方針に従っていましたから、日中戦争は蔣介石を倒すまで徹底的にやるべし、と「朝日新聞」「中央公論」「改造」などで主張し、また近衛首相をその方向に向けさせたのです。

現代の価値観で歴史を判断するな

実は昭和の初め頃から、スターリンは日本軍と国民政府軍の本格戦争をさせるため、中国共産党を操って、日本軍人や日本人居留民を虐殺するなどありとあらゆる挑発を行なうよう仕向けていました。中国共産党は当時、単にコミンテルン支部に過ぎませんでしたから、スターリンに入知恵された毛沢東は、漁夫の利を得ようと必死でした。反共の蔣介石だけでなく日本でさえ、スターリンの野望を明確に把握していませんでした。日中戦争は、正規軍による大会戦はほとんどなく、絶え間ないゲリラ的挑発に乗りもぐら叩きをしながら奥地へ奥地へと引きずりこまれて行くような、何の目的もない無意味で、惨めで、徹底的に愚かな戦争でした。中立国アメリカから、日本は石油その他を買い、中国は援助を受けていましたから、共に宣戦布告すらできませんでした。正規の戦争とも言えない、泥沼でした。

無論、中国の主権を奪い日本領とする、などという意図はありませんでした。そのうえ、上海で本格的な日中戦争を始めたのは中国でした。それ以前の日本人への数え切れないテロ行為は、主に中国共産党が日本を戦争に引きずりこむために行った挑発でした。

真珠湾で本格的な日米戦争を始めた日本を、とことん攻撃し占領までしたアメリカが侵略したと言われないのと同様、日本が中国を侵略したとは言えません。当時の常識では自衛戦争になってしまうからです。それに中国に民族自決能力があったかも灰色です。延安には共産党政府がありましたし、国民政府軍と共産軍は日中戦争でもしばしば戦っていたからです。

とは言え、現代の定義から言えばこれまた侵略です。まずどんなに乱れていようとすべての国に民族自決権があります。また正式な条約で認められた日本人租界のある天津、漢口、上海などを中国の攻撃から守るため日本は戦争に入りましたが、そもそも租界とか特殊権益などというものは、強者がピストルを弱者のこめかみに突きつけた上での条約によるものです。帝国主義時代のルールでは認められましたが、数十万の軍隊を用いて中国領土の約半分とほとんどの要所を何年も占領し続けたのですから、民族自決にしっかり抵触しています。すなわち、東京裁判で問題とされた満州事変から日中戦争にかけては、現代の定義では侵略と見なせるのです。

もし現代の定義を適用して日本を侵略国というのなら、英米仏独伊露など列強はすべて侵略国です。ヨーロッパ近代史とはアジア・アフリカ侵略史となりますし、アメリカ史とは北米大陸太平洋侵略史となります。清国も侵略国です。ただしこれらの侵略国家が倫理的に邪悪な国ということにはなりません。この二世紀を彩った帝国主義とは、弱肉強食を合法化するシステムだったからです。また、侵略をしなかった国は道徳倫理が高い国ということにもなりません。単に弱小国だっただけです。人間とはその程度の生物なのです。

今から考えると侵略を合法化するシステムがつい数十年前まで生きていたなどとは信じられない話ですが、一九〇〇年の時点でこれを疑う人は世界にほとんどいませんでした。強国は当然と思い弱国は仕方ないと諦めていました。

最も重要なことは現代の価値観で過去を判断してはいけないということです。人間も国家もその時の価値観で生きるしかないからです。

第六章　日米戦争の語られざる本質

アメリカの本意とは

それでは日米戦争はどうだったでしょうか。

これは日中戦争と一つながりのものだったのです。日中戦争、日米戦争と分けるのが不可能なほど連結しているので、かつて呼んでいたように大東亜戦争というのが実態に即した名称なのです。戦後、ＧＨＱが大東亜戦争という言葉を禁止し、日中戦争、太平洋戦争という言葉を使わせるようにしました。大東亜戦争という言葉は大東亜共栄圏という日本の掲げた大義を認めるような印象があります。その上、日米戦争というものをあたかも独立したものとして切り離すことで、自らの日中戦争への深い関りを糊塗しないと、「不意打ち」が成り立たなくなってしまうからです。

実はソ連だけでなく米英も日中戦争に深く関っていたのです。米英は日中戦争の始まった頃から、公然と蔣介石を支援していました。初期はドイツ、それ以後はソ連が武器援助、米英がそれ以外の物資の援助、独ソ戦開始の一九四一年以降はほぼ全面的にアメリカが援助しました。米英ソの大規模な援助がなければ、日中戦争などは当初日本軍が考えていた通り、一九三七年末に首都南京が陥落した時点で国民政府軍と休戦になっていた可能性が高いと思われます。

百万近い日本軍を中国大陸に貼り付けさせ、日中両国に膨大な犠牲を出させ疲弊させたのは、日本の意志ではなく中国の意志でもなく、米英ソの意志だったのです。

ソ連についてはは先に述べましたが、米英はどうしてそれほど本気で蔣介石を支援しようと考えたのでしょうか。

米英が中国を支持した理由

アングロサクソンとは、先に述べましたように世界で最も長期戦略にたけた民族です。その彼等が中国支援に傾いたのは、心に五つの要素があったからと考えられます。

第一は市場としての中国です。いつか世界一の巨大マーケットになる可能性を秘めた中国市場を、日本に独り占めされたらたまらない、と考えたのです。満州事変の頃、中国への輸出額は日米英が横一線で拮抗していました。イギリスは自分がインドなどで行ってきたような利権独占を日本が狙っていると当然考えました。人間とは自分の行動規範で相手の行動を推し測るものなのです。フロンティア精神の国アメリカは十九世紀までに北米大陸を制覇し、続いて太平洋を制覇し、潜在的巨大市場の中国大陸を次のフロンティアと見なしていました。日本の独占は絶対に許さないという決意はどの国より固かったのです。

第二はナチスドイツの台頭です。日本を中国と戦わせておけばソ連はソ満国境にそれほど兵を置かなくてもよくなり、西側のドイツとの国境に兵を回すことができるようになります。特にナチスドイツの急速な軍備増強を憂慮していたイギリスはそれを強く望みました。

またアメリカのフランクリン・ルーズベルト大統領は、社会主義者と言う人もいるほどソ連に友好的な人でした。その上スタッフにも共産主義勢力がかなり浸透していましたから、どうにかしてソ連を反共ドイツから守りたいと考えていました。余りに親ソなので共産主義嫌いのチャーチル首相がしばしば苛立ったほどでした。だから是が非でも日本軍を中国に釘付けにしておきたかったのです。

そして第三は人種です。アジアの最強国日本と最大国中国による戦争を長引かせておけば両者が共倒れとなり、白人の独占してきた植民地権益への脅威となり始めた有色人種、なかんずく日本の勢いを当分抑えることができる、という阿吽《あうん》の呼吸が米英にあったように思われます。

そのうえ、日本は第一次大戦後のパリ講和会議で、「人種差別撤廃」を提案したとんでもない国なのです。その時は議長のウィルソン大統領がどうにかうっちゃりましたが、日本が大きくなったらやっかいなのです。

人種差別は当時、イギリスの世界中に散らばった植民地を見ても、アメリカの黒人を見ても、極めて激しかったからです。日米戦争でも、黒人と同じ潜水艦に乗らない、などという問題が頻繁に起きていました。黒人に普通選挙権が与えられたのは一九六五年です。私がアメリカへ渡った一九七二年になっても、少くとも長距離バスでは自然に白人が前、黒人が後ろ、となっていました。私はもちろん最前列に陣取りました。

日米戦争と人種差別については、サセックス大学の歴史家クリストファー・ソーン教授がこう書いています。

「ローズヴェルトによれば、日本人の侵略行動はおそらくその頭蓋骨が白人に比べて未発達であるせいだというのであった」

「(チャーチルが)中国人のことを『細目野郎』『弁髪野郎』といい」

「アメリカとイギリスは、極東をめぐる意見の対立にもかかわらず、一九四一―四五年の戦争に関しては、本質的には西側の白人の政治的・経済的秩序を代表していた。両国とも

『持たざるもの』ではなく、『持てるもの』であり、『帝国主義的』国家であった」「ネルーの妹パンディット夫人は、一九四五年にアメリカを訪れたとき、太平洋戦争は本質的には人種戦争だと述べた」(『米英にとっての太平洋戦争〔上下〕』市川洋一訳、草思社)

日中が手を携えるというのは白人にとって悪夢中の悪夢だったのです。これは現在に続いています。この二つは対立させる、というのは今も欧米の基本戦略です。

揺れ動く米国世論

第四は中国の世界一の宣伝力と、それに動かされた米国世論です。

中国へ日本が無法無慈悲な侵略を行っている、と「国民党中央宣伝部国際宣伝処」が中心となり国際世論に、とりわけアメリカに、十八番《おはこ》と言える嘘八百の大宣伝を行ったことです。

それだけではありません。米国世論の工作には蔣介石夫人の宋美齢が大活躍をしました。

蔣介石は孫文亡き後、汪兆銘などとの国民党内の主導権争いに勝ち党内における自らの立場を確立するために一九二七年の末、孫文夫人である宋慶齢の妹、宋美齢といわば政略結婚をしました。そして孫文の義兄弟という地位、および宋美齢の父親を通した浙江財閥の財政的援助により、計算通り国民政府総統となることができたのです。

財閥の娘として中高大とアメリカで過ごした宋美齢は姉の宋慶齢とともに美貌の誉れ高く、上流階級の英語もあってアメリカ人を魅了しました。彼女はルーズベルト大統領夫人とも親しく、一九四二年から半年余り、大統領直々の招待で訪米すると、各地での講演で抗日戦への援助を訴え続けました。八面六臂の活躍で反日キャンペーンを展開し莫大な軍事援助の獲得に成功したのです。

宋美齢は姉の宋慶齢だけでなく兄で国民政府の財政部長や外交部長を務めた宋子文ともチームを作っていました。宋子文はハーバード大学出身だけに旧知のルーズベルト大統領をはじめワシントン人脈を持っていたからです。彼がこの人脈を駆使し、宋美齢による一九四三年二月の連邦議会演説を実現したのです。

黒のチャイナドレスをまとった美しい彼女はこの抗日演説で四分間にもおよぶ満場総立ちの拍手と称賛を浴びました。「タイム」「フォーチュン」「ライフ」などを創刊し「メディアの帝王」とも呼ばれたタイム社長のヘンリー・ルースとも宋美齢は親しく、様々なそして力強い協力を得ました。

中国で生まれ育ったヘンリー・ルースはもともと親中反日で、一九三一年と三三年と三六年に蔣介石を、そして三八年には夫妻を「タイム」の表紙にのせ「極東でもっとも偉大な人物になるだろう」と持ち上げました。一九三六年には「フォーチュン」の日本特集号で反日キャンペーンを展開し、翌三七年には「ライフ」で「日本による上海爆撃後、パニックと破壊の中でひとり泣き叫ぶ幼児の写真」というキャプション付きの写真を掲載し、「惨めな中国、残忍な日本」のイメージを国民に植えつけました。この写真はその後、新聞、雑誌、映画などに幾度となく登場しました。これは上海南駅という軍事物資の集積場を日本軍が爆撃した時のもので、向かい側のホームにいた幼児を抱いてきて現場に座らせた写真であることが分っています。

「タイム」に掲載される中国からの特派員報告も、公然と親中を唱えるタイム社ですから、当然、日本の大本営発表と同じででたらめでした。戦況報告は当事国はどこもでたらめなのです。私がアメリカにいた一九七五年、ベトナムで勝利し続けていたはずの米軍がいきなりサイゴンから我先にとヘリコプターで逃げ出したのでびっくりしたことを覚えています。

宋美齢の活躍は六十万の発行部数をもつ「タイム」にしばしば載り、その影響力はテレビのない時代だっただけにアメリカでは絶大でした。

ただし、彼女を身近に見ていた人は少し見方が違うようです。ジャーナリストのセオドア・ホワイトは「時にはおしとやかぶって男に媚《こび》を売る女子大生のような、時には高圧的でみみっちい寮母のような」と評しています（「The Last Empress ; Madame Chiang Kai-shek and the Birth of Modern China」by Hannah Pakula, 2009）。また学生時代の友人は、「学生寮にいた頃から部屋の入口にはいつも男性が立っていた」などと言います。

いつも繻子のチャイナドレスの深い切れ目から美脚を誇示し、椅子に坐ると何度も脚を組みかえて男の目を引いたり、米高官との写真では腕を絡ませたりする人でした。美貌、洗練された英語、機転のきいた会話術、そして何より媚態により、会ったアメリカ男性を片端から虜にした上で中国の要求を勝ち取る、という宣伝にはうってつけの人物でした。

実は彼女のやり方は媚態をふりまくことに止まらなかったようです。伝記作家ジョナサン・フェンビーは古文書館で新聞王マイク・カウルズの残したプライベートな記録を発見しました。カウルズは一九四二年に、ルーズベルトの特使として重慶を訪れた共和党議員のウェンデル・ウィルキーに同行した人物です。ウィルキーは一九四〇年の大統領選挙で共和党候補としてルーズベルトに敗れましたが、次の一九四四年の大統領選にも出馬を計画していた大物政治家でした。その記録には次のような趣旨の記述がありました。

「レセプションの席からウィルキーと宋美齢の姿がふっと消えたのです。心配して待っていると朝四時にウィルキーは戻って来て、カウルズに彼女との情事の逐一を報告し自慢したのです」(「Generalissimo: Chiang Kai-Shek and the China he lost」by Jonathan Fenby, 2005、あるいは「The Last Empress」by Hannah Pakula, 2009)。

ウィルキーは彼女に夢中で、帰国する際の飛行場では公衆の面前であることもはばからず、彼女に情熱的なキスをしたほどです。ウィルキーの件はルーズベルト大統領の耳にも入っていました。宋美齢がホワイトハウスに泊った時、ルーズベルトは「身を守るため」、普通の客に対するように同じソファの両端に座ることはせず、チェステーブルを間に挟んで座りました。

重慶での一夜から二カ月後、アメリカでカウルズに会った彼女はこう語ったそうです。「ウィルキーが次の選挙で勝ったら、私と二人が世界を支配することになる。東洋は私が、西洋はウィルキーが」。カウルスは彼女の言うことを、普段の発言から判断して冗談ではなく本気、と思ったそうです。

猛女宋美齢は自らの持てる力を文字通りすべて出し切って蔣介石を助けましたが、彼女が本当に愛したのは、蔣介石ではなく、祖国でもなく、男でもなく、権力だったのかも知れません。

かくして宋美齢は、日中戦争でアメリカを中国べったりにする上で決定的な役割を果たしたのです。なお日中戦後の国共内戦においても彼女は国府軍への援助をアメリカに求めましたが、ソ連スパイが浸潤していたトルーマン政権に拒否され、やむなく蔣介石と共に台湾へ逃げ出すことになりました。

マニフェスト・デスティニー

アメリカでは一八三〇年代にジャクソン大統領が議会で「インディアンは白人と共存し得ない。野蛮人で劣等民族のインディアンはすべて滅ぼされるべきである」と演説しました。四〇年代には「マニフェスト・デスティニー（明白なる天命）」というスローガンが生まれました。

インディアンを虐殺し、黒人を奴隷化しながら白人種が西部開拓を押し進めることを正当化しようとするものです。まっさきに手をつけたのはインディアン絶滅のために彼等の生活の糧であるバッファローを絶滅させるという、酷いものでした。十九世紀初頭に四千万頭をこえたバッファローは、十九世紀末には何と数百頭になったのです。次いでメキシコの属国とも言うべき「テキサス共和国を併合」すると同時に、これを認めないメキシコに戦争を仕掛け、カリフォルニアやニューメキシコ、ネバダ、アリゾナ、ユタ、コロラドなど諸州を強奪し、アラスカをロシアから二足三文で買収しました。やり出したら徹底的なのです。

一八九〇年までに西部をすべて手中にすると、今度は新しいフロンティアを海外に求めました。

「マニフェスト・デスティニー」は、啓蒙されていない人々に自由、平等、キリストの福音などを広めることがアメリカの明白なる天命、と変質しましたが、実際は帝国主義的な領土拡大を正当化するためのものでした。スペインに戦争を仕掛け、中米からスペイン勢力を駆逐してアメリカの植民地とするとともに、太平洋では一八九八年にハワイ王国を滅ぼし併合し、フィリピン、グアムをはじめ太平洋の島々を片端から植民地としました。

そしていよいよ、最後の大フロンティア、中国に手が届いたのです。ここには強国となっていた日本の他に英独仏露など列強がすでに権益を持っていましたから、後発のアメリカは門戸開放、機会均等、領土保全などときれい事を唱えながら中国市場への進出を少しずつ始めました。

同時に二十世紀初め頃から二千五百名もの宣教師がアメリカから中国へ送りこまれました。アメリカ人の意識の中で中国は「アメリカのイデオロギーと経済的拡張の新しいフロンティアのシンボル」となったのです（『アメリカ外交の悲劇』ウィリアム・A・ウィリアムズ著、御茶の水書房）。

親中反日の精神

第五はアメリカに広く深く根付いていた親中反日の精神です。中国に来た多くの宣教師は、日本人よりはるかに教化しやすい中国人に好意を持ち、数億の民をキリスト教徒にするという壮大な夢を描きました。先述のタイム社長ヘンリー・ルースの父親もその一人で三十年以上も当地で布教をしていました。

そうした中で、米中関係の転機となる三つの事件が一九三一年に起きました。

まず満州事変です。ついで、反共を掲げ中国の指導者となった蔣介石が、メソジスト派の牧師をしたことのある父親をもち自身がクリスチャンである宋美齢の影響で、キリスト教に改宗したことです。抜け目ない人ですから米英への計算も働いていたでしょう。

そして三つ目がパール・バックの『大地』が出版されベストセラーとなり、翌年ピューリッツァー賞をもらったことです。彼女はやはり宣教師の娘で中国で育ち、英中バイリンガルの人です。『大地』は苛酷な軍閥政治の中で貧しいながらもたくましく生きる善良な中国農民を描いたもので、日本でもよく売れました。貧しい農家出身の私の母にとっても一番の愛読書でした。

蔣介石の改宗やこの本を通じて、一般アメリカ人の間にも親中感情が高まりました。一方、日露戦争で勝った日本を中国権益におけるアメリカのライバルと見なすことで生まれた反日感情は、アメリカ社会で成功し始めた日本人に対する反感と重なり、一九二四年には「排日移民法」などが定められましたが、満州事変を通して更に確かなものとなりました。

また同時に中国への判官びいきも生まれました。「タイム」は蔣介石を「中国のナポレオン」とまで称えました。一言で言うと、アメリカ人にとって日本は、すでに西洋と対等な地位を占め、白人優位に楔を打ち込もうとする生意気な帝国主義国であり、一方の中国は未開ながら巨大であらゆる可能性を秘めた、かつての自分達を思わせるロマンティックな夢の天地だったのです。日本が優位に立っているのは一時的なもので、いずれ巨大な歴史の力が中国を日本以上に発展させる。日本との関係を犠牲にしても中国との友好を築こうと思っていたのです。イギリスや他のヨーロッパ諸国も同じでした。この中国びいきは今も欧米諸国に潜在し息づいているようです。

宣教師というフィルター

このような親中反日の感情が、主に二千五百人という在中国宣教師やその関係者からの偏った情報によってアメリカで醸成されました。宋美齢、パール・バック、ヘンリー・ルースなども宣教師がらみです。彼等は本国に親中反日のニュースをひっきりなしに流したのです。南京事件でもそうでした。

布教活動を中国で円滑に行うことは国民政府に嫌われては困難ですし、中国で布教が実を上げていると報告しないと米国から送られてくる寄付金や支援金が増えません。宣教師達は中国があたかもキリスト教国になりうるかのような錯覚をアメリカ人に広め、中国への援助を増加させました。在中および本国の宣教師達はアメリカにおける一大ロビイストとなっていたのです。アメリカの駐華公使（大使は当時いなかった）を務めたマクマリーも『平和はいかに失われたか』で「国民党は宣教師の組織を通して、アメリカ政府が国民党に有利な政策を採用するよう圧力をかけることができた」という趣旨のことを述べています。

無論、中国にいるアメリカの外交官やビジネスマン達は、このような宣教師達が腐敗と貧困の深淵に沈む中国の真の姿を歪曲して伝える姿勢に批判的でした。これについてはマクマリーや先述のタウンゼントの他にもいくつかの書物に記されています。

布教のために手段を選ばなかった宣教師やその関係者により作られた親中反日でしたが、当然ながら日本政府もこの事態に気付いていました。宣教師達の情報が誇張や歪曲に基づくものであることをアメリカ国内に広めようと工作しましたが、これらは単なる日本のプロパガンダと片づけられました。宣伝力にかけて中国と日本には格段の差があったからです。もっとも宣教師達の主目的の方は決して達成されませんでした。戦後、共産軍が日本軍の代りに入って来るや、キリスト教徒もどきの人々はあっという間に共産主義に改宗してしまったからです。中国人にとって政府や宗教やイデオロギーなどどうでもよいのです。三度の食事をきちんと与えてくれるならそれ以外はどうでもよい、という現実主義が三千年の伝統なのです。

三つの援蔣ルート

アメリカが日米戦争に先立つ日中戦争においてすでに中国へ膨大な援助を与えていたこと、それにより太平洋における唯一の強敵であり憎むべき日本を疲弊させようと企んでいたことは明らかとなりました。それではいよいよ、日米戦争は日本の侵略だったか、という問題です。

先ほど日中戦争を泥沼化させた米英による援蔣ルートについて触れましたが、これは全部で三つありました。

一つ目は香港ルートで、イギリスが租借していた香港で陸揚げしそれを珠江の水運により内陸部へ運ぶルートです。これは一九三八年に日本軍が珠江河口の広州を占領したため消えました。実際この年に日本軍は、中国内陸に至る海上からの補給路すべての切断に成功しました。

二つ目は仏印（フランス領インドシナ、今のラオス、ベトナム、カンボジア）ルートで、ベトナムのハイフォン港から陸揚げし汽車で雲南省の昆明まで運ぶものでしたが、日本軍が一九四〇年に北部仏印に進駐したため消えました。日本軍の北部仏印進駐は中立国米英からの軍需物資援助を断ち、無意味な戦争を一刻でも早く終らせるために必要だったのです。

三つ目のルートがビルマルートで、通常「援蔣ルート」と言うとこれを意味します。イギリス領であったビルマのラングーンから陸揚げし、主にトラックで昆明まで運ぶものです。これは日米開戦後の一九四二年に、日本軍がビルマを占領したため消えました。その後はイギリス領インドのアッサムからヒマラヤ山脈を越えての空輸、および困難な山越えのある陸路に変わります。日本軍がインド北東部でインパール作戦を行ったのはこのルートを潰すためでしたが、補給がうまく行かず失敗しました。友好国タイに駐屯していた日本軍の航空部隊が空から攻撃するしかなくなりました。

日本軍は東南アジアを侵略したとよく言われますが、主たる理由はこの援蔣ルート潰しのためだったのです。実際、日本軍の計算通り、一九四〇年に仏印ルートが消された後は軍需物資が細々としか運ばれなくなり、中国での戦闘はめっきり下火になりました。日中とも戦争などしたくなかったからです。ソ連が火をつけ、その火が消えぬよう米英が懸命にあおり続けた戦争だったのです。米英ソの目的は十二分に達せられました。日中とも多くの犠牲者を出し大いに疲弊しました。

日本軍は百万近い軍隊を占領地と補給線の防御のため中国に駐留させることとなり、ソ連やアメリカとの戦いに備えるべき国力をすり減らしました。またスターリンの思惑通り、反共の国民政府軍はとことん打ち破られたため、終戦後には主敵の共産軍にあっという間に負けて台湾に追い出されました。しかし米英は最終的には策士スターリンに完敗しました。日本を追い出した後の満州、中国、北朝鮮はすべて共産化され、門戸開放どころではなくなってしまったからです。

潜行する爆撃計画

実はアメリカの中国への援助は援蔣ルートに止まりません。真珠湾攻撃の一年前、一九四〇年十二月、ルーズベルト大統領、財務、国務、陸軍、海軍の四長官が集まり、中国南東部の基地から長距離爆撃機Ｂ17を用い、日本本土の工業地帯を爆撃する計画を相談しました。

この計画はさらに米統合参謀本部で詰められ、「ＪＢ三五五」という作戦計画となり、翌一九四一年七月二十三日に大統領の許可を得ました。三百五十機の戦闘機と百五十機の長距離爆撃機により、九月には東京や大阪に焼夷弾をばらまくものでしたが、ヨーロッパでの需要を優先するということで結局、爆撃機は得られず作戦は縮小されました。通称フライング・タイガーズと呼ばれる戦闘機だけの空軍が国民政府軍を支援することとなりました（『ルーズベルト秘録』産経新聞社）。中国の記章をつけた百機の米軍戦闘機に搭乗するのはアメリカ人パイロット達でした。陸軍、海軍、海兵隊から集められ、一時的に退役して義勇兵となり軍務終了後は元の階級に戻る、という約束でした。中国人では心許ないということで二百人の地上整備員まですべて米軍人でした。フライング・タイガーズはインドの英空軍と協力し、主に援蔣ルート上空の制空権の確保に活躍しました。日本機とは何度も交戦しています。

フライング・タイガーズの初めての日本軍攻撃は航空機到着が遅れたため真珠湾攻撃の二週間ほど後になりましたが、問題は、ルーズベルト大統領が、順当に進めば一九四一年九月の、焼夷弾による東京、大阪への爆撃を許可したということです。日中が宣戦布告をしていないのを利用してアメリカが一方的かつ大々的に中国への無償の軍事物資援助（武器貸与法）をしていたことを考えても、日米戦争は実質的に十二月の真珠湾攻撃以前に、アメリカの直接攻撃すれすれの間接攻撃によりすでに始まっていたのです。

資源を求める日本

日本軍は一九四〇年九月に、先述の援蔣ルートの一つ仏印ルートを潰すため、北部仏印へ進駐しました。この進駐にあたり日本は、宗主国フランスのヴィシー政権の許可を得ていました。その頃フランスはドイツに占領されており、ヴィシー政権は親独の傀儡政権でしたが、アメリカも承認していました。日本は進駐にあたって体裁は整えたのです。

ところがアメリカはこの進駐に対しすぐさま屑鉄の対日禁輸、続いて十二月には鉄鋼、翌一九四一年一月には銅、亜鉛、ニッケル、とじわじわと禁輸を拡大して行きました。必要最小限の石油はまだ禁輸となっていませんでしたが、肝心の航空用ガソリンはすでに禁輸されていました。

日本は石油資源の豊富な蘭印、すなわちオランダ領東インド（今のインドネシア）からの石油輸入を図ろうとオランダと交渉をしていましたが、すでにアメリカの手が回っていて拒否されてしまいました。資源を求めて一九四一年四月から近衛内閣はアメリカとの直接交渉を始めましたが、向うは経済的圧迫により日本を屈従させるか、日本から先に手を出させようと意を固めていましたから、のらりくらりで言うことを聞いてくれません。

それどころかアメリカは、同年七月二十五日には在米日本資産を凍結するという挙に出ました。アメリカにある日本人の資産はすべて差押さえられ自由にできなくなりました。これでは貿易決済もままなりません。これは国家による強盗行為であり、宣戦布告に準ずるものです。続いて英蘭もこれに同調しました。

外交交渉で埒が明かないのを悟った日本は同年七月、戦略物資のある南部仏印に進駐しました。日本は焦ってもいました。石油や鉱物資源の備蓄は限られているし、アメリカが中国に大量の武器を与えフライング・タイガーズまで送りこんでいることも、日本はすでに中国の暗号解読に成功して知っていたからです。当然ながらこのままでは中国との戦いを続けられなくなると考えました。まだ、ドイツ軍がヨーロッパで破竹の進軍を続けていたので、気も大きくなっていたでしょう。

アメリカとしては、日本軍がここまで来れば次は石油を求めて蘭印進駐だ、と当然考えました。そうなれば、アメリカのもくろむ禁輸による兵糧攻めは無効となります。

そこで南部仏印進駐の四日後に石油の対日全面禁輸を発表し、英蘭がそれに続きました。いわゆるＡＢＣＤ包囲網です。中南米からの石油輸入を妨げるためパナマ運河まで閉じてしまいました。やることは徹底的でした。日本の石油備蓄は軍事民間を合わせて二年分しかありませんし、鉄も石油も七割以上はアメリカ頼りでしたから、このままでは日本経済の破綻は時間の問題です。アメリカが日本軍の仏印進駐を人道上許されないと言ったのはアメリカ得意のダブルスタンダードでした。

日本の仏印進駐のたった一カ月後の八月末には、イギリスとソ連は示し合わせ、石油を確保しようとイランに侵攻しました。アメリカからソ連への軍需物資輸送ルートを確保する目的もありました。驚愕したイラン国王はルーズベルト大統領にこの侵攻を中止させるよう嘆願しましたが、ルーズベルトはこれを冷たく断りました。在米日本資産の凍結という行為や、英蘭を引きこんでの石油や鉄などの対日全面禁輸は、非人道的な侵略を許さない、という表向きとはまったく異なる顔をもつものだったのです。

日本からのいかなる敵対行為も受けていないアメリカが、日本に対しこれほどまでに強硬かつ性急な制裁を行ったのは、ヨーロッパが緊急事態となっていたからでした。

アメリカは一貫して、日本軍をソ満国境からソ連に侵攻させないよう中国に止め、また国府軍と戦い続けさせておくことを画策していました。そして一九四一年六月に独ソ戦が始まり圧倒的なドイツ軍がたった三カ月でモスクワ周辺まで攻めこんでからは、どうにかして日本に「最初の一発」を撃たせるよう腐心していました。日米戦争が始まれば日独伊三国同盟により恐らく米独戦争が始まり、晴れてソ連やイギリスを助けるためにヨーロッパへ軍隊を送ることができると考えたのです。ドイツに最初の一発を撃たせようと、そのUボート（潜水艦）を攻撃していましたが、アメリカの意図を見抜いていたドイツは一切の挑発に乗らなかったのです。

一九三〇年代から、アメリカ政府にはソ連スパイや共産主義者が入り込んでいて、四〇年代には数百人が紛れ込んでいました（『ヴェノナ』中西輝政監訳、PHP研究所）。早急な米国の欧州戦線参加を実現するため、これらの人々が日本を追いこむようルーズベルトを誘導していました。

クレムリン宮殿まで十キロに迫ったドイツ軍でしたが、ここで進撃が止まりました。日本で諜報活動を行なっていたソ連スパイのゾルゲが、一九四一年九月六日の御前会議で、同盟国ドイツがソ連と戦争を始めたにもかかわらず、日本は北方へ向かわず石油などの資源を求めて南方へ向かう、という「帝国国策遂行要領」を決定したとの報を尾崎秀実や西園寺公一などを通じて手に入れ、十月四日にモスクワに送ったからです。

尾崎秀実は近衛首相の側近として軍部にも太いパイプを持っていましたが、れっきとした共産主義者であり、一九三二年（昭和七年）以来、ゾルゲに暗号名オットーで協力していました。彼は「朝日新聞」や「中央公論」などで中国との早期講和に猛反対し、殲滅するまでの徹底抗戦を主張しました。逮捕された尾崎や西園寺の実体を知った近衛首相は驚愕し、昭和天皇に「全く不明の致すところにして何とも申訳無く深く責任を感ずる次第で御座います」と謝罪しました。誰も望まない日中戦争泥沼化の裏には、尾崎をはじめとし、政府や軍部に食いこんだ多くの共産主義者やコミンテルンのスパイがいたのです。

ソ連はこの報で、日本がソ満国境から攻め入ることはないと知り、そこに配備していた冬季装備の充実した精強部隊を直ちにモスクワ方面に移動させ、ドイツ軍の進撃を止めました。ソ連スパイや共産主義者は日米英中の政府そして軍部に相当混入していたのです。

ゾルゲは重大情報を送った二週間後の十月十八日に逮捕されました。きわどい所でソ連は降伏を免れたのです。

すべての資源を止められたままでは誰がどう考えても、日本の選択肢は、アメリカの脅しに屈服するか、意地を張って野垂れ死にするか、勝算のないアメリカとの戦いを始めるか、の三つしかありません。はじめの二つは誇り高い日本人にとって論外でした。日本はもっともしたくない日米戦争を準備しつつ、この年の四月からワシントンで行われていた日米交渉に全力をつくすことになりました。藁にもすがる思いでした。

「ハル・ノート」

「帝国国策遂行要領」は対米開戦をも辞さないという内容だったので、近衛首相は駐日アメリカ大使グルーと極秘会談し、日米首脳会談の早期実現を強く訴えました。「最初の一発」を鶴首して待ち望むルーズベルト大統領ですから、無論この提案をうまく断りました。

近衛首相は万策つきたと総辞職しました。頼みとしてきた尾崎の逮捕も響いたのでしょう。その二日後に内閣を放り出したのです。代った東条首相は対米英蘭戦争の本格的準備にかかるとともに、十一月二十日までにアメリカに最終交渉案を二つ用意して提出しました。譲歩を重ねてでも和平を求めるこの日本案をルーズベルト大統領は拒否するどころか、十一月二十六日にはいわゆる「ハル・ノート」を交渉役の野村、来栖両大使に逆提示しました。日本軍の仏領インドシナばかりか中国からの撤退をも要求するという内容のものでした。

仏領インドシナからの撤兵だけなら恐らく合意に至ったでしょうが、中国からの撤兵となると話は別です。一九三三年の国際連盟で満州国は認められていませんし、満州国は法的には中国からの租借地ですから、当然満州からの撤兵も含まれることになります。これは日本が、多大な犠牲を払った日露戦争の頃から東アジアで営々と築いてきた権益のすべてを放棄することを意味し、とうてい呑める話ではありません。そもそもアメリカにそのようなことを要求する権限も資格もありません。満州国は成立こそ暴力的でしたが、王道楽土を目指し日本人はそれ以来、膨大な資本を投下し、荒野を開拓しインフラを整え、アジアでは最も暮らしやすい国に育ててきた所でした。

アメリカ側は実はこれより穏かな案を持っていたのですが、その案は一刻でも早いアメリカ参戦を願うチャーチルや蔣介石に大反対されて引っこめてしまったのです。それまでの交渉経過を無視したこのハル・ノートを日本側は最後通牒と受け取りました。全面屈服か戦争を選ばせるもので、交渉の余地はもはやないからです。東郷茂徳外相は「目もくらむばかりの失望に打たれた」と述べています。

事実上、これはアメリカの宣戦布告とも言えるものでした。日本の外交暗号を完全に解読していたアメリカは、十一月末までに日米交渉がまとまらない場合に日本は交渉を打ち切る、ということを知っていましたから、ハル・ノートによって交渉が決裂し、日時をおかずして戦争になると確信していました。実際、ハル・ノートを提示した同じ日にアメリカは、開戦と同時に無制限潜水艦作戦に入るようアジアの潜水艦部隊に指令を出しています。そして翌日、ハル国務長官はスティムソン陸軍長官に「今や問題はあなたとノックス海軍長官の手中にある」と伝えました。日本がハル・ノートへの回答をする前のことです。

東条の涙

アメリカ駐日大使だったグルーも「この時、開戦のボタンは押されたのである」と回顧録で述べています。

確かに開戦のボタンはこの時押されました。しかし実はそれ以前に日米戦争はほぼ不可避の段階に入っていました。アメリカの徹底的な対日禁輸と日米交渉をまとめる気のない態度を見て、日本は焦りに焦っていました。アメリカは交渉を長引かせることで日本の石油備蓄がなくなるのを待っているのではないか。そうなったら陸海軍が動けなくなるどころか産業活動のほとんどが止まってしまう。すなわち戦わずして全面屈服が必定となります。

そこで十一月五日の御前会議で、十一月末までに交渉がまとまらなければ十二月初旬に対米宣戦布告をすると決定していたのです。真珠湾攻撃の機動艦隊もハル・ノートが出される前に、集結していた択捉島の単冠湾を出ていました。交渉成立の場合は途中で引き返すという計画でした。真珠湾攻撃命令は十二月一日の御前会議の翌日、機動艦隊への「ニイタカヤマノボレ一二〇八」の暗号文で発せられました。

従ってハル・ノートは開戦ボタンに過ぎず、日本は国家存立を危くする全面的対日禁輸を見て、自衛のため、何が何でもしたくなかった超大国アメリカとの戦いに立上ったのでした。

そもそも天皇陛下が、対米戦に反対でした。「帝国国策遂行要領」が九月六日の御前会議に出された時、天皇陛下はあくまで外交解決を指示されました。そして明治天皇御製「四方の海　みなはらからと思ふ世に　など波風の立ちさわぐらむ」を引用され「余は常にこの御製を拝唱して、故大帝の平和愛好の御精神を紹述せむと努めておるものである」と仰せられたのです。

「満座粛然、しばらくは一言も発するものなし」となり、杉山参謀総長は蒼ざめた顔面を小刻みにけいれんさせていたそうです。

九月六日の「帝国国策遂行要領」に天皇が難色を示されたので、近衛首相を継いだ東条首相は内容を少し変更し十一月五日の御前会議に再び提出したのです。

十二月一日の御前会議において苦渋の開戦決定がなされましたが、天皇陛下はもう何も話されませんでした。しかし出席者は皆、天皇のお気持をよく知っていました。だからこそ、開戦前夜、東条首相は寝室で皇居に向かい正座し、長い間号泣したのです。

アメリカの工作は実った

ハル・ノートは、東京裁判での日本側弁護人ブレイクニーが「こんな最後通牒を出されたらモナコやルクセンブルグでも武器をとって立つ」と言ったほどの高圧的かつ屈辱的なものでした。

ドイツの勢力拡大を憂えるルーズベルト大統領は、モスクワ陥落という所まで追いつめられているソ連、および気息奄々《きそくえんえん》のイギリスを救うため、ヨーロッパへの派兵を強く望んでいました。チャーチルや蔣介石夫人の宋美齢、それにアメリカ政府内の要所にいたソ連スパイ達が必死に日米交渉を決裂させ、アメリカ参戦に持ちこもうとしていました。

しかしながら、議会はもちろんアメリカ国民の八割以上は参戦に反対であり、ルーズベルト自身、前年の大統領選挙で「アメリカの若者の血を一滴たりとも海外で流させない」と公約して当選していました。この世論の厭戦気分を一掃し公約を破棄するには、日本に「最初の一発」を撃たせ、国民を憤激のるつぼにおとし入れるしかない。ルーズベルトは知恵をしぼりにしぼり、日本が手を出さざるを得ないように着々と手を打ったのでした。

実際、七十四歳の陸軍長官スティムソンはハル・ノートの出された翌日の日記にこう書いています。

「ルーズベルトは次の月曜日にも日本が攻撃してくるかも知れないと言った。問題はどうやったら彼等に最初の一発を撃たせられるか、しかも我々の損害をさほど大きくせずに、ということだった」

なお、ハル・ノートを起草したハリー・ホワイト財務次官補は、戦後になって解読されたヴェノナ文書（ソ連の暗号文を米の情報機関が解読したもの）によると明白なソ連のスパイでした。ハリー・ホワイトは終戦の三年後、共産主義者として告発され非米活動委員会に召喚された後、自殺しました。ホワイトなどソ連工作員達は、ソ連の生存はアメリカの参戦に依存し、アメリカ参戦は日本軍の「最初の一発」に依存すると捉え、日米交渉決裂のため必死の工作を行なっていたのです。ハル・ノートは決裂させるための切札でした。

開戦に日本人は何を思ったか

要するに、日米戦争は、自身、社会主義者に近く、ソ連に親近感をもつルーズベルト大統領が、ソ連そしてイギリスを窮地から救い出すため、権謀術数をつくして日本を追いこみ、戦争の選択肢しかないように仕向けたものでした。

日本が追いこまれ追いこまれ、国中が呼吸も苦しいほどになっていたからこそ、開戦の報を聞いたほとんどの国民は、勝敗について一様に不安を抱きながらも、「すっきりした」のです。開戦の翌日、作家の伊藤整は日記にこう書いています。

「今日は人々みな喜色ありて明るい。昨日とはまるで違う」

左翼文芸評論家の青野季吉までが開戦三週間後の正月、日記にこう書きました。

「じつに四海波静かと云ひたい明らけき日。天地も亦《また》、この戦勝の新年を歓呼するが如し。日本は神国なりと云ふ感が強い」

軍部ばかりでなくすべての国民が、在米日本資産の凍結、全面禁輸、ハル・ノートと愚弄され続け、鬱屈していましたから、息苦しさから一気に解放されたような気分になったのです。

東亜新秩序などという美しいスローガンはあるものの、弱い者いじめに近い日中戦争は、武士道精神のまだ残っていた多くの国民にとって憂鬱な戦いだったのです。それに比べアメリカは、ＧＮＰで日本の十二倍、鋼材生産は十七倍、石油は何と日本の七百倍もある国なのです。屈従や野垂れ死の淵に立たされた日本が、祖国の名誉と存亡をかけて、世界一の大国に対し敢然と立上がったことに、民族としての潔さを感じ高揚したのです。

第七章　大敗北と大殊勲と

マッカーサーも認めた自衛戦争

日米戦争に関しては、東京裁判を開廷し日本を侵略国家と断罪した当の本人マッカーサーが、一九五一年の米国上院軍事外交合同委員会で次のように答弁しています。

「日本は絹産業以外には、固有の産物はほとんど何も無いのです。彼らは綿が無い、羊毛が無い、石油の産出が無い、錫《すず》が無い、ゴムが無い。その他実に多くの原料が欠如してゐる。そしてそれら一切のものがアジアの海域には存在してゐたのです。もしこれらの原料の供給を断ち切られたら、一千万から一千二百万の失業者が発生するであらうことを彼らは恐れてゐました。したがつて彼らが戦争に飛び込んでいつた動機は、大部分が安全保障の必要に迫られてのことだつたのです」(『東京裁判　日本の弁明』)

すなわち、日本にとって自衛の戦争であった、と証言したのです。これはドイツに、明確な世界制覇の意志と共同謀議があったのと対照的です。日本の陸海軍は終始いがみ合っていて、そんな上等な野望のかけらも持ち合わせていませんでした。

日本の人種差別撤廃案を斥けたウィルソン大統領

十九世紀以来の帝国主義は第一次大戦において史上空前の犠牲者を出したことで終焉するはずでしたが、そうはいきませんでした。第一次大戦後の一九一九年に開かれたパリ講和会議でも先述の通り、未だに「文明の神聖なる使命」などという、「明白なる天命」にも通ずる、美しくも恥ずべき言辞がまかり通っていたのです。

この会議に戦勝国として参加した日本は、国際連盟規約に「人種差別撤廃」を入れるよう提案しました。世界中の有色人種、特にアメリカの黒人は大きな期待を抱きました。提案は人種差別をしつつ植民地をたらふく抱えたイギリスやアメリカの反対にもかかわらず、採決の結果は賛成十一対反対五となりました。

可決と思われた時、突然、議長であったアメリカのウィルソン大統領が「重要な議題については全会一致が必要である」と言い出し、日本案を斥けたのです。それまでの議決は多数決で決定されていました。

日本政府も国民もこの提案には本気でしたから、当然ながら以後、白人国家とりわけアメリカへの不信が高まりました。これは五年後にアメリカが日本からの移民を全面禁止したことで決定的なものとなりました。『昭和天皇独白録』にも、こうあります。

「(先の大戦の)原因を尋ねれば、遠く第一次世界大戦后の平和条約の内容に伏在してゐる。日本の主張した人種平等案は列国の容認する処とならず、黄白の差別感は依然残存し加州移民拒否の如きは日本国民を憤慨させるに充分なものである。……かゝる国民的憤慨を背景として一度、軍が立ち上つた時に、之を抑へることは容易な業ではない」

人種差別を捨てない、ということは少くともヨーロッパ以外では植民地主義や帝国主義を続ける、という意思表示でもあります。

破綻するイデオロギー

かくして帝国主義は二千万の犠牲者を出した第一次大戦の後もしぶとく生き残ったのです。一九二〇年以降、かろうじて生き残った帝国主義勢力に加え、一九二二年に初の共産主義国家として誕生し、できるだけ多くの国を赤化しようとするソ連、世界制覇の夢を見るナチスドイツ、恐慌後の米英仏などによるブロック経済化を見て大東亜共栄圏を目論んだ日本、という新たな膨張勢力が列強として登場しました。

陣取りゲームとも言える帝国主義は、地球の表面積が限られている以上、いつかは衝突が起こり大混乱となります。帝国主義のごとき内部矛盾をはらんだイデオロギーは必らずいつかは破綻し、大清算される運命にあります。それが第一次大戦であり、第二次大戦でした。

同様に矛盾を内包した共産主義は、数千万人に上る飢餓や粛清の犠牲者という無惨な大実験の後、一九九〇年のベルリンの壁崩壊やソ連の解体とともに大清算されました。

やはり矛盾だらけの新自由主義、すなわち貪欲資本主義は、世界を二十年ほど跋扈した後、リーマンショックから現在の世界的不況、ギリシア、スペイン、アイルランド、東欧の財政危機、食糧や原油の高騰、ひいてはアフリカや中近東での市民暴動と、未だに大清算が続いています。

ペリーの衝撃

日本はこの大きな世界史の流れに、幕末になって突然、心ならずも放りこまれてしまいました。

一八五三年、アメリカのペリー提督が四隻の黒船を引き連れ喜望峰まわりではるばる浦賀にやって来て、江戸幕府に大統領国書を渡しました。新らしい市場を求めるアメリカは、インドから東南アジア一帯が既に英仏蘭に先んじられていたため、最後の大市場、清国に狙いをつけたのです。清への太平洋航路のためにも、また捕鯨船のためにも、当時は蒸気船だったので薪、水、食糧の補給拠点が必要でした。開国要求には黒塗りの軍艦や陸戦隊、大砲などで脅すに限る、ということで威風堂々と入港したのです。対応によっては武力行使も辞さず、という態度でした。

幕府は、ペリーが浦賀来航前によった琉球で首里城訪問を拒否されたにもかかわらず、武装した陸戦隊を上陸させ首里城まで進軍したことも耳にしていましたから、苦慮の末、一年の猶予の後に回答すると確約し帰ってもらいました。幕府は直ちにオランダへ軍艦を発注し、各藩に軍艦建造を奨励し江戸湾警備のため砲撃用のお台場造営に着手しました。太平の夢を破られ、国中が騒然となりました。加えてペリーの一カ月半後には、ロシアのプチャーチン提督がやはり軍艦四隻で長崎へ来航しました。

危機感は各藩も等しく共有しました。外国船に対抗するには精度が高く飛距離の長い洋式砲が必要ですが、従来の日本の鋳造技術では製造が困難です。一八五三年前後から佐賀藩、伊豆韮山代官所、水戸藩、薩摩藩などで続々と反射炉が作られました。

横井小楠の卓見

思想的リーダー達にも衝撃が走りました。彼等は一八四〇年から一八四二年にかけてのアヘン戦争で、大国中国がどれほど酷い目にあったかをすでによく知っていましたから、次は日本と身構えました。翌一八五四年、ペリーが約束通り再来航しましたが、吉田松陰は下田でその船に乗りこもうとして失敗しました。萩で獄舎に入れられた彼はそこで『幽囚録』を書き、師の佐久間象山に送りました。西からポルトガル、スペイン、イギリス、フランス、東からアメリカ、北からロシアが日本を狙っていること。それに対し武備を増強し、艦船や大砲がそろった時点で北海道を開墾し、琉球、朝鮮、台湾、フィリピン、満州にまで進出すべしと主張しています。

福井藩の橋本左内は、近い将来、世界で覇を競うのは英ロであろう。とりわけ剽悍貪欲《ひょうかんどんよく》な英国が日本にとりもっとも危険だから、まず国内の大改革を行い、ロシアとアメリカに助けを求め産業をおこし、陸海軍の大拡張を行うべしと言いました。そして東海の小さな島だけでは外圧に抗して独立を維持するのは難しいから、朝鮮、樺太、満州はもちろん、遠く南洋やインドにまで進出すべし、と言っています。

思想家ばかりか、名君と言われた福井の松平春嶽《しゅんがく》、薩摩の島津斉彬《なりあきら》、水戸の徳川斉昭《なりあき》なども海防強化を主張しました。攘夷論と言えますが、攘夷論と開国論はほとんど同じことです。欧米諸国からの圧力を、いきなり力ではねのけるか、まずは開国し産業や軍備を強化してからはねのけるか、という順序の違いだけです。

これら思想家、名君、幕閣、さらには高杉晋作や坂本龍馬をはじめとする多くの志士達がこぞって一目を置いた人物に、横井小楠《しょうなん》がいます。勝海舟が『氷川清話』の中で「おれは、今までに天下で恐ろしいものを二人見た。それは、横井小楠と西郷南洲とだ」と評した人です。彼の思想は端的に言えば「天皇の下に国家を統一し、人材を広く登用し、議会政治を実現する」というものでした。明治政府が目指したのはまさにこの思想でした。

彼は西欧文明の導入と富国強兵を強く唱えましたが、暗殺される三年前に、洋行する二人の甥にこう書いていています。

「堯舜孔子の道を明らかにし　西洋器械の術を尽くさば　何ぞ富国に止まらん　何ぞ強兵に止まらん　大義を四海に布《し》かんのみ」（『日本の名著30　佐久間象山・横井小楠』中央公論社）

西洋文明は覇道を目指すが日本は王道を目指すべしということです。日本は欧米のような単なる富国強兵国家ではなく、さらに有徳国家にもなれという高い理想でした。

独立自尊を守る

その当時、アジアの国々は諦念からでしょうか、激しい抵抗もほとんど示さず、片っ端からヨーロッパ勢力により蹂躙されていました。強力な武器を手に高圧的に迫る白人を前に従順な羊のようでした。

その中にあって唯一、独自の、人類の宝石とも言うべき文明を生んできた日本は、その気高い自負ゆえに、ぼんやり眺めているばかりの他のアジア諸国とは異なり、命をかけて独立自尊を守ることを決意しました。日本のような後進の小国にとって、実に大それた望みでした。幕末から明治維新の日本人が、満腔にこの決意を固めたと同時に、その後の流れは決まってしまったのです。

日本近代史における戦争を考える時に、満州事変頃から敗戦までを一くくりにした十五年戦争や昭和の戦争がありますが、このように切るのは不適切と思います。その切り方はまさに東京裁判史観です。林房雄氏は『大東亜戦争肯定論』の中で、幕末の一八四五年から大東亜戦争終結の一九四五年までを百年戦争としました。私の考えはそれに近く、ペリー来航の一八五三年から、大東亜戦争を経て米軍による占領が公式に終ったサンフランシスコ講和条約の発効、すなわち一九五二年までの約百年を「百年戦争」とします。ペリーの四隻の黒船による騒然から紆余曲折の末に日本が曲がりなりにも自力で歩きはじめるまでを百年戦争と見るのです。

南下政策をとったロシア

英米仏蘭は、アジアの国々とは比較にならないほど成熟した日本の文化や日本人の品格を見て、一様に仰天しました。薩英戦争や下関戦争で、たった一つの藩であっても火の玉のように戦いを挑んでくることも知りました。植民地化は早々とあきらめたのです。しかしロシアだけは他の欧米諸国とは違い、バルカン半島、中央アジア、中国、極東と、ユーラシア大陸全体であからさまな南下政策をとっていました。不凍港の獲得が大きな目的です。

ロシアは一八五三年から三年間、黒海から地中海への通路確保を目論み、オスマン帝国および英仏を相手にクリミア戦争を戦い、一八六〇年には太平天国の乱やアロー号事件に乗じて沿海州、特にウラジオストックを獲得、一八七五年には千島樺太交換条約で樺太を獲得し、太平洋への進出を可能にしました。

一八七七年には再び地中海を目指し露土戦争（ロシア対トルコ）を仕掛け、さらには十九世紀初めから二十世紀初めまで、インド洋に出ることを狙いほぼ一世紀にわたりイギリスとアフガニスタン争奪抗争を繰り広げていました。

欧米勢力の手薄な中国、満州、朝鮮、日本など極東への意気込みはとりわけ大きなものでした。ウラジオストック港は冬期には流氷で使えなくなるため、朝鮮まで二十キロほどのポシェットに港を作ろうとしていました。

すでに幕末からロシアの南下を恐れていた西郷隆盛は、早くも明治初年に朝鮮や満州調査のため個人的にスパイを派遣していましたから、この情報を摑んでいました。まごまごしていると朝鮮はやられる、との思いが主君島津斉彬の大陸出撃策にも重なり、一八七三年（明治六年）の征韓論にまで発展しました。

日露戦争の勝利にアジアは歓喜した

ロシアはその後、朝鮮の元山に軍港を作ろうとしたため、イギリスは一八八五年、極東におけるロシアの南下を牽制する目的で、朝鮮南部沿岸の島、巨文島を占領し兵舎や防衛施設を作りました。ロシアが極東に軍港を作ったら、世界一のイギリス海軍がここから出撃して叩き潰すぞ、という信号です。イギリスが朝鮮のこんな小島をなぜ占領したのか、情報組織の整っていなかった日本の軍部はよく理解できませんでした。

イギリスの睨みを受けたロシアは、元山をしぶしぶ諦めましたが港を陸上兵力で守備できるよう、そして極東経営に本腰を入れるためにも、モスクワからウラジオストックまで世界一長いシベリア鉄道を建設することにしました。

一八九一年に建設が始まりましたが、日本は震え上がりました。シベリア鉄道が完成したら日本はそれまで、と考えたからです。よい感度です。小国が身分不相応な独立自尊を保つためには、いつも触覚をピリピリさせておかなければならなかったのです。

数十万人の軍隊や武器弾薬が鉄道で自由に極東まで運ばれたら、満州や朝鮮は一たまりもない。そうなればロシアは朝鮮に強力な軍港を作り、日本海の制海権を握り、対馬、北海道を皮切りに日本を占領してしまうことになる。完成までには少くとも十年間はかかるから、その前に防波堤として朝鮮をしっかり自立させなければならない。それには白人の食いものとなり果てて恥じることもない清国に朝貢しつつ無気力のまま暗闇の底で蠢いている朝鮮を叩き起こし、開国させ、明治維新のような改革をさせねばならない。同時に、性根のすわっていない兄貴分の中国に正気を取り戻させ、日中朝で協力し飽くなき白人の侵略に備えなければならない。とりわけ差し迫ったロシアの来襲に対して、文明開化で一歩先んじた日本が中心となり生死をかけた戦いを挑まねばならない。

これが日本の長期戦略となりました。アジア主義です。帝国主義真っ盛りの当時、日本の独立自尊を守るためには他に方法はありません。それには何と言っても早急な富国強兵です。全国民は空きっ腹を抱えながらも一丸となり、その目的に邁進しました。この頃から日露戦争にかけての十数年間は、国の予算の四割以上を国防に使うという異常状態でした。国民は一人残らず満身総毛立つような覚悟で日露戦争に進んだのです。

まず朝鮮を目覚めさせることを祈って日清戦争を戦いました。この戦争に勝利することで日本は、中国に活を入れ、朝鮮を数百年にわたる中国への朝貢から解放しました。ついで一九〇四年の日露戦争では、中朝の縁の下での協力、イギリスとの日英同盟、などにより、世界最大の陸軍国ロシアを打ち破ることができました。この戦争は、世界中が日本の敗北を確信していたものでした。

その頃描かれた風刺画に、リング上で小人ボクサーを手持ち無沙汰に見下ろす大男のボクサーというものがあります（『日露戦争諷刺画大全〈上下〉』飯倉章、芙蓉書房出版）。近代になって有色人種が白色人種を武力で叩きのめした初めての出来事でした。

日本から遠くエジプトに至るアジアのすべての国々の人々が歓喜に湧きました。日本とタイ以外はすべて植民地でしたが、彼等は、有色人種は白色人種より民族として劣等だから植民地となっても仕方がない、と諦めていたのです。数百年にもわたる封建時代と鎖国から目覚めた日本の大殊勲は、これらの人々に「自分達だって頑張れば独立できる」という勇気と自信を与えました。

中国の孫文は「これはアジア人の欧州人に対する最初の勝利であった……全アジア民族は歓喜し大きな希望を抱くに至った」、インドのネールは「日本の勝利は私を熱狂させた」、トルコ皇帝は「ロシアに対する日本の勝利は我々の勝利である」と言いました。欧米でも、ロンドンタイムズは「対馬海戦の勝利は武士道によってもたらされたものだ」、ニューヨークタイムズは「日本の勝利は文明の凱旋である」などと絶讃しました。

偉大なる勝利に励まされたアジア諸国において、実際に独立運動や民族運動がこれをきっかけに始まったのです。

十五世紀から始まった白色人種の世界征服に、初めて大きな制動がかけられたという点で、世界史の十大事件に入れてよいほどの事件でした。

福島安正が流した涙のわけ

ただし、光には影があります。

日本の、今から考えてもそれしかないと思われるアジア主義が、日露戦争の前後から、日本を盟主とするアジア主義、すなわち大アジア主義というものに少しずつ変質して行ったのです。連帯という側面の中に膨張という側面が見られるようになりました。日露戦争を経ながらいつまでたっても覚醒しない中国や朝鮮を見て、名実ともに列強の仲間入りをした日本はごく自然にそう考えるようになったのです。自衛という意識の強かった日本が、日露戦争勝利の自信を胸に、帝国主義列強の仲間入りをしたのです。

帝国主義とは、言うなれば「弱い者いじめ」です。これはすべての日本人にとって卑怯なことです。また侵略される弱小国民への惻隠《そくいん》を忘れた主義とも言えます。そしてこの卑怯を憎む心と惻隠は武士道精神の中核なのです。少くとも江戸中期以降、武士道精神を国民精神としてきた日本人にとって、何が何でも忌避したいはずの主義でした。

明治十九年、ビルマを視察した陸軍情報将校の福島安正は、人々が宗主国イギリスの支配下で、英国人に奴隷のごとく酷使され、気ままに鞭打たれ銃殺されるのを見て、アジア同胞として義憤に駆られました。明治二十五年にはシベリア単騎横断の途中、独露墺（オーストリア）により三分割された旧ポーランドに入りました。一人の年老いた農夫に「ここはどこですか」と尋ねると、「ここはかつてポーランドと呼ばれた地です」と悲しそうに答えました。剛毅な福島もかつての王国の栄光と祖国を失った人々を思い涙しました。

その数カ月後にウラルのある山頂で欧亜境界の石標を見て、思わず筆をとりました。

「乗馬ウラル号を一老樹に繋ぎ、路傍の樹根に踞《うずく》まりて石標に対し沈思冥想すれば、万感湧き来りて慷慨《こうがい》に堪えず、嗚呼《ああ》大地球は元《もと》混然たる一大塊のみ、何ぞ欧亜の別あるべき。而《しか》も之を画して二となし、三となし、更に千区万画、以て雄大なる自然を自ら狭め、隘然《あいぜん》たる区画に立て籠り、相対峙して蝸牛角上の争闘に没頭す。安《いず》くんぞ是れ自然の道ならんや。此世に生を托するもの、何《いず》れも是れ等しく人、而して心性の霊、何等欧亜の別に従つて軒《けん》輊《ち》あるなし。ただ気候風土の影響に依て面色の差あり、又言語の差あるも、此等は少しも人間の本質に関するなし。人は何れに生れ何れに住するも等しく是れ人。然《しか》るに自由と唱し平等と称へ、等しく神の子たるを高調し乍《なが》ら面色言語の差によりて待遇を異別にす。何たる矛盾撞着《どうちゃく》ぞ」(『福島安正と単騎シベリヤ横断〔上下〕』島貫重節、原書房)

明治人の面目躍如です。松本藩士の子として生まれ、日露戦争で情報部長となる生粋の軍人が、これほどまでに帝国主義の苛酷に涙し、その根本的愚かさに慨嘆し、白色人種による有色人種差別に義憤を感じているのです。

日本の宿痾とは何か

こう感じていたのは当時、帝国陸軍の一将校福島だけとは思えません。恐らく日本人のほとんどが、少くとも知識人のほとんどが同じ考えだったでしょう。にもかかわらず日本は、独立自尊という気負った決意のため、帝国主義列強に参加したのです。

仕方なかったと言え、日本にはすべきこともあったと私は考えます。参加か不参加かを考える前に、欧米列強に対し帝国主義や植民地主義そのものが誤りであり、恥ずべきものであることをしっかり説得し説教すべきでした。美感のすぐれた日本人には、それらが汚く醜いものであることが、論理や理性を経なくとも一目瞭然だからです。

日本が欧米を説教したことは未だにありません。帝国主義、共産主義、新自由主義、最近ではTPP（環太平洋戦略的経済連携協定）など、常に欧米の決定したドグマに乗るか乗らないかを選択するのみです。自ら新らしいドグマを提出することも、提示されたドグマを粉砕することもしません。

謙虚の表われとも言えますが、日本人の価値観を高く掲げ、迫力を持って欧米を説得説教する、ということを決してしようとしないのは、日本の宿痾《しゅくあ》とも言えます。

この宿痾により、ついに日本は禁断の道へ入って行きました。一九一五年、第一次大戦中の対支二十一カ条などはそのはっきりした徴候です。中国の孫文は親日派でしたが、一九二四年、神戸での講演で「われわれは、アジアをはじめ全世界の被圧迫民族と提携して、覇道文化にたつ列強に抵抗しようと考える。日本は世界文化に対して西方の覇道の番犬となるか、はたまた、東方王道の干城《かんじよう》となるを欲するか」と選択を迫りました（『日本とアジア』竹内好、ちくま学芸文庫）。干城とは国を守る武士のことです。

当然の批判でした。アジア主義は日露戦争前後から大アジア主義となり、昭和には大東亜共栄圏となりました。

昭和の世界恐慌では、列強のブロック経済化という排他的政策により日本の輸出が締め出され、失業者は国中にあふれ、東北の農村などでは一日一回の食事もできない欠食児童が大量に現れ、若い娘たちが身売りされる中、朝鮮をこえ、中国の主権を踏みにじって満州に新らしい市場を求めざるを得ませんでした。これはコミンテルンの謀略により日中戦争まで発展し、アメリカの謀略により袋小路に追いこまれ、ついにはアメリカとの悲劇的戦争に至りました。

この間、常にコミンテルンの強力な動きがありました。大東亜戦争中に英ソでの大使や外務大臣として活躍した重光葵《まもる》はこう言っています。
「ソ連が、コミンテルンの世界にわたる組織を通じて、日米交渉の破壊を策することは、当然のことである。コミンテルンの政策は、日本のソ連に対する力を減殺せんがために、日支の衝突を誘起し、日本の北進を転換して南進せしめ、更に日米の戦争に導くことにあった。この目的のために、支那における共産分子は勿論のこと、日本を初め欧米における第五列的共産勢力は、最も有効に働いた」（『昭和の動乱〔下〕』重光葵著、中央公論社）
この過程で日本は多くの致命的間違いを犯しました。
人種差別撤廃を否決された禍根や、日本を孤立化させようとするアメリカの陰謀を見抜けず一九二一年に命綱の日英同盟を放棄したこと。一九二七年の南京事件で幣原外相が、蔣介石軍が租界を攻撃するという国際法違反をしたにもかかわらず、「日支友好」を優先し英米と共同行動をとらなかったため、英米に「抜け駆け」と見られ、以後敵視されてしまったこと。一九三三年に、満州国に関するリットン調査団が「満州には中国主権下の自治政府を作る。そこでの日本の権益は尊重する」、というごく妥当な結論を出したのに、これを不服として国際連盟を脱退したこと。一九四〇年に海軍の猛反対にもかかわらず日独伊三国軍事同盟を結び、米英と完全な敵対関係に入ってしまったこと。

などなど、日本外交の拙劣さが悔まれます。しかしこういった大失策がなくとも結局は、ペリー来航時に独立自尊を覚悟した以上、帝国主義の潮流に乗らざるを得ず、最終的には歴史的必然とも言える帝国主義の大清算に巻きこまれたはずです。大清算により生き延びる道は恐らくアメリカと組むことだけでした。

しかしこれは、アメリカのフロンティアが太平洋と中国大陸であり、当時の日本の生命線と競合していましたし、何より黒人を抱えるアメリカには根強い有色人種蔑視がありましたから、かなわぬことでした。これはアメリカが日米蜜月だった日露戦争の直後から、列強の仲間入りをして白人による世界支配を崩し始めた、絶対に許せない日本との戦争計画、オレンジ計画を密かに練り続けていたことからも明らかかと思います。

他の列強と異なった「日本人の高貴な決意」

アジアの小さな島国日本は、帝国主義の荒波の真只中で、ほとんど不可能ともいえる独立自尊を決意しました。これがすべてでした。この独立自尊を守るため、二千年近い歴史の中で、海外出兵は白村江の戦いと朝鮮出兵だけという、また平安時代には三百五十年、江戸時代には二百五十年の完全平和を貫くという離れ技をやってのけた、世界でも際立った平和愛好国家は、帝国主義の荒波に乗るしかありませんでした。荒波に抗して呑みこまれ粉々に砕け散るよりは、荒波に上手に乗るしか他に道はなかったのです。こうして百年戦争に入って行きました。

過去の出来事を、当時の視点でなく、現代の視点で批判したり否定したりするのは無意味なことです。原始の時代から十九世紀までの人類社会を、人間の平等すらなかったひどい時代と否定してみても、何も生まれないのと同様です。帝国主義は現在の視点から見れば、無論、卑劣な、恥ずべきものです。弱肉強食は帝国主義時代の唯一の国際ルールだったとは言え、当時の列強諸国が深い自省と遺憾の念を持つべきなのは当然です。

しかし人間はその時代のルールで精一杯頑張って生きるしかなく、未来のルールで生きる訳にはいきません。大正生まれで、九十歳の作家、阿川弘之さんはこう語っています。「昨日のことを今日の目で見てはいけません。あの時代だから並大抵のことではありませんよ」（読売新聞、二〇一一年一月十一日付）

一方、この帝国主義の荒波の中で、日本人はそれぞれの時代の最強国ロシアそしてアメリカに、独立自尊を賭け身を挺して挑むという民族の高貴な決意を示しました。無謀にもロシアとアメリカに挑んだことは、別の視座から見ると、日本の救いです。日本の基本姿勢が他の列強とはまったく違い、弱肉強食、すなわち弱い者いじめによる国益追求、という恥ずべきものでなく、あくまで独立自尊にあった、ということの証左にもなっているからです。

そして日本人は、これら大敵との戦いの各所で、民族の精華とも言うべき自己犠牲、惻隠、堅忍不抜《けんにんふばつ》、勇猛果敢などの精神を十二分に発揮したのです。

百年戦争の末の、日本の大敗北と大殊勲

百年戦争は日本の大敗北となりました。しかしこれは無益無駄な戦争だったのでしょうか。

大局的見地から見ると、実は百年戦争は日本の大殊勲だったのです。ペリー来航以来、日本が希求してきたものは、第一に独立自尊でした。そして第二には、そのためのアジア主義、すなわち日中朝が連帯して白人によるアジア支配を食い止めることでした。第一のものについて日本は、百年戦争の最後の六年半ほどアメリカによる統治を受けただけで、曲がりなりにも有史以来の独立自尊を保つことができました。大成功だったのです。

第二のものについても、日本はほぼ独力で達成してしまいました。達成したどころでは

ありません。アジアを食い物にしていた白人勢力に日本が敢然と立ち向かう姿を見て、アジアの人々はもはや白人への畏怖や恐怖を持たなくなりました。そして日本軍、日本兵により訓練された現地軍などの力により栄えある独立を手中にしたのです。一九四一年には独立国がアジアでは日本、タイ、ネパールの三国、アフリカではエチオピア、リベリア、南ア連邦の三国しかなかったのが、その十一年後、百年戦争の終る時点では合わせて百カ国を超えたのです。

当のアジアの指導者達も当然ながら日本への感謝を表わしています。

実は戦争中から日本は概して好意的に迎えられていたのです。歴史家のクリストファー・ソーンは前出の本で、

「（共産主義者の）エドガー・スノーは、一九四二年のネルーとの対話のなかで、インド中に広がっている日本の戦いに対する『共感の気持ち』を、ネルーさえも同じようにいだいていることを知った。また日本軍を心から歓迎して集まってきたビルマ人や、『（中略）アングロ‐サクソンに対する戦いにおいて日本人と肩を並べることに共感をおぼえていたと述べていたマレーのインド人役人もいた』」

と書いています。

それだけではありません。悲願だった人種差別まで全くなくしてしまいました。これら独立国は皆、国連において白人諸国と同じ権利を持っています。アメリカの黒人も、戦時中から有色人種の日本の活躍に勇気を得て公民権を主張し始め、戦後はついにそれを達成してしまったのです。

歴史家のトインビーは、英紙オブザーバーにこう書きました。

「日本は第二次大戦において、自国でなく大東亜共栄圏の他の国々に思わぬ恩恵をもたらした。（中略）それまで二百年の長きにわたってアジア・アフリカを統治してきた西洋人は、無敵で神のような存在と信じられてきたが、実際はそうでないことを日本人は全人類の面前で証明してしまったのである。それはまさに歴史的業績であった」（一九五六年十月二十八日付、藤原訳）

クリストファー・ソーンは別の著書でこう書きました。

「日本は敗北したとはいえ、アジアにおける西欧帝国の終焉を早めた。帝国主義の衰退が容赦なく早められていったことは、当時は（西洋人にとって）苦痛に満ちた衝撃的なものだったが、結局はヨーロッパ各国にとって利益だと考えられるようになった」（『太平洋戦争とは何だったのか』市川洋一訳、草思社）

日本は白人のアジア侵略を止めるどころか、帝国主義、植民地主義さらには人種差別というものに終止符を打つという、スペクタキュラーな偉業をなしとげたのです。日本人の誰もそんなことを夢想だにしていませんでしたが、結果的には世界史の大きな転機をもたらしたという点で、何百年に一度の世界史的快挙をやってのけたと言えるでしょう。

この百年戦争で斃《たお》れた数多くの彼我の犠牲者の魂も、この一点において慰められるものと思えるのです。

第八章　日本をとり戻すために

日本文明の価値観とは

歴史についての叙述が多くなったのは、明治、大正、昭和戦前を否定する東京裁判を、その形式と内容の両面から拒絶するためでした。日本は恐ろしい侵略国であった、などというフィクションを信じこまされているから、日本人自ら「自分達は一人一人はよいのに集団になると暴走しやすい危険な民族である」と自己否定してしまい、自国の防衛にすら及び腰になるのです。そして何より、明治以降を占領軍と日教組の都合に合わせて否定されたままにしておいては、いかに江戸期までに素晴らしい文明を創り上げた日本があっても、祖国への誇りを持ちにくいからです。歴史の断絶とは故郷の喪失のようなもので、祖国へのアイデンティティー喪失につながるのです。

それでは日本文明を特徴づける価値観とはどんなものであったのでしょうか。

一つは、欧米人が自由とか個人をもっとも大事なものと考えるのに対し、日本人は秩序とか和の精神を上位におくことです。日本人は中世の頃から自由とは身勝手と見なしてきましたし、個人を尊重すると全体の秩序や平和が失われることを知っていました。自分のためより公のためにつくすことのほうが美しいと思っていました。従って個人がいつも競い合い、激しく自己主張し、少しでも多くの金を得ようとする欧米人や中国人のような生き方は美しくない生き方であり、そんな社会より、人々が徳を求めつつ穏やかな心で生きる平等な社会の方が美しいと考えてきました。

このような独特の美感、あるいは価値観はかろうじてながらまだ生きています。高校生に関する日本青少年研究所の統計データを見ても、「お金持ちは尊敬される」と思う人はアメリカで七三％なのに対し、日本では二五％しかいません。「自分の主張を貫くべきだ」と思う人はアメリカで三六％、日本では八％です。「他人のためよりも自分のためを考えて行動したい」に強く同意する人はアメリカで四〇％、日本で一一％に過ぎません。

日本が追求した平等な社会

思えば、帝国主義とは日本人の発想から生まれようもないもので、欧米のものでした。先ほど日本文明の特徴として挙げた価値観の、日本人を日本に置きかえて見れば一目瞭然です。それに対して金銭的豊かさをあくまで追求し、他人より自分ということで激しい自己主張をする欧米人は、国際秩序とか平和より自国を尊重し、自国の富だけを求めて自由に競争するという考えになびきやすいのです。まさに帝国主義です。リーマンショックに始まり、その後のギリシア危機、ユーロ危機など世界経済の混乱を引き起こしている新自由主義は、貪欲資本主義とも言えるものでこれまた欧米のものです。

万人が自由に、自分の利益が最大になるように死に物ぐるいに競争し、どんな規制も加えないですべてを市場にまかす。どんなに格差が生まれ社会が不平等になろうと、それは個人の能力に差があるのだから当然のことだ、というのは、日本のものではありません。日本人が平等を好むのは、自分一人だけがいかに裕福になろうと、周囲の皆が貧しかったら決して幸せを感じることができないからです。人々の心の底流には仏教の慈悲、武士道精神の惻隠などが息づいているのです。

日本は、帝国主義、共産主義、そして新自由主義と、民族の特性にまったくなじまないイデオロギーに、明治の開国以来、翻弄され続けてきたと言えます。

日本を日本たらしめる価値観とは

今こそ、日本人は祖国への誇りを取り戻し、祖国の育んできた輝かしい価値観を再認識する必要があります。基軸を取り戻すのです。これなくしては、目前の現象にとらわれどんな浮足立った改革をしてみても、どうなるものでもありません。どの選挙でどの政党が勝ち、誰が首相になりどんな政策を打ち出そうが、現代日本の混迷は解決するどころか、ひたすら深まるだけです。

祖国への誇りと自信が生まれて来れば、日本を日本たらしめてきた価値観を尊重するようになるでしょう。アメリカが、アメリカンスタンダードである貪欲資本主義をグローバルスタンダードと言い含めて押しつけようとしても、「日本人は金銭より徳とか人情を大事にする民族です」と言い抵抗することができたはずです。規制なしの自由な競争こそが経済発展に不可欠と主張し強要してきても、こう切り返せたはずです。

「日本人は聖徳太子以来、和を旨とする国柄です。実際、戦後の奇跡的経済復興も、官と民の和、民と民の和、経営者と従業員の和でなしとげました」

これらをアメリカだけでなく、国連の場で表明し、欲望に翻弄され続ける人類に活を入れるべきだったのです。先述したように、迫力をもって欧米を叱責説教しようとしない日本の宿痾により、アメリカ式を無批判にとり入れたから、日本特有の雇用が壊され、フリーターは四百万人を超え、完全失業者は三百万人を上回ることとなったのです。

占領軍の作った憲法や教育基本法で、個人の尊厳や個性の尊重ばかりを謳ったから、家とか公を大事にした国柄が傷ついてしまいました。これはGHQが意図的にしたことでした。家や公との強い紐帯《ちゅうたい》から生まれるそれ等への献身と忠誠心こそが、戦争における日本人の恐るべき強さの根底にある、と見抜いたからです。占領の一大目的である日本の弱体化には、軍隊を解体するばかりでなく、そこから手をつけなければならなかったのです。そこで天皇を元首から象徴に変え、長子相続の廃止など「家」を破壊し、個人ばかりを強調したのです。

東京裁判のおまじないが解けない日本人は、公への献身は軍国主義につながる危険な思想、などと自らに言い聞かせ、個人主義ばかりをもてはやしました。個人主義の欧米が、日本など比較にもならないほどの争いに彩られた歴史を有することを顧みなかったのです。この結果、会社では能力主義という名のもとで全員がライバルとなり、不要となればリストラという名の大なたで解雇されるようになりました。弱者切り捨てです。家やコミュニティーとの紐帯を失った人々は寄る辺のない浮草のようになってしまいました。困った時には家や近隣や仲間が助けの手をのべる、という美風を失ったのです。

「個の尊重」より国柄を

実はこの紐帯こそが、幕末から明治維新にかけて我が国を訪れ日本人を観察した欧米人が、「貧しいけど幸せそう」と一様に驚いた、稀有の現象の正体だったのです。日本人にとって、金とか地位とか名声より、家や近隣や仲間などとのつながりこそが、精神の安定をもたらすものであり幸福の源だったのです。

これを失った人々が今、不況の中でネットカフェ難民やホームレスとなったり、精神の不安定に追いこまれ自殺に走ったり、「誰でもいいから人を殺したかった」などという犯罪に走ったりしています。

少子化の根本原因もここにあります。家や近隣や仲間の有難さが失われ人々との繋がりが稀薄になったこの社会で、苦労して産み育てた子供は本当に幸せになれるのだろうか。なれそうもないのなら出産や子育てにエネルギーを使うより、自らの幸福を追い求めよう。自分を支えてくれた社会へ恩返しするより自己実現、となるのです。「個の尊重」「個を大切に」を子供の頃から吹きこまれているからすぐにそうなります。

だから少子化は出産費用の援助や「子ども手当」で解決する問題ではありません。馬車馬の尻を鞭で叩くような、勝者と敗者を鮮明にする成果主義にもとづく競争社会でなく、人々の濃密なつながりを大事にしたうるおいのある社会を取り戻さない限り、解決しないのです。

学級崩壊や学力低下なども、個人を尊重し過ぎた結果、先生と生徒、親と子供が平等となったことが大きな原因の一つです。基本的人権を除けば、先生は生徒より偉く、親は子供より偉い、という古くからの明確かつ当然な序列が薄くなったため、子供達が野放図となりました。厳しい鍛錬すらできなくなりましたから、学力は低下しました。今では、教師は教授する者ではなく子供の学習の援助者、などということになっています。

日本に昔からある「長幼の序」や「孝」を幼いうちから教えこまないと、どうにもなりません。自殺にまでつながる陰湿ないじめなども、「朋友の信」や「卑怯」を年端もいかぬうちから叩きこまない限り、いくら先生が「みんな仲良く」と訴え、生徒や親との連絡を緊密にしようともなくなりません。

要するに、現代日本の直面する諸困難は、各党のマニフェストに羅列してあるような対症療法をいくら講じてもどうにもならないということです。戦前から始まり、戦後には急坂を転がるように進んだ体質の劣化が原因だからです。体質劣化の余り、体質を改善する能力さえすでに失ってしまっています。人々はうすうすそれに気付き始めています。何をしてもうまく行かないからです。

そのためか、国民の視線が内向きになり下向きになっています。思考が萎縮し始めています。大人達は将来を悲観し、若者は夢や志さえ持たなくなっています。筑波大学のグループが日中韓の中学生を調査したところ、「将来に大きな希望を持っている」は日本二九％、韓国四六％、中国九一％です。祖国への誇りが世界最低であることは先に述べました。ＧＨＱと日教組による日本弱体化計画が偉大なる成功を収めたのです。

論理や合理だけでは人間社会は動かない

実は今、頽廃《たいはい》に直面しているのは日本ばかりではありません。欧米をはじめ世界的規模で変調が起きています。

産業革命以来、世界は欧米の主導下にありました。それは、論理と合理と理性を唯一の原理として進む文明でした。帝国主義も共産主義も新自由主義も、その原理から生まれたモンスターでした。どれにも理路整然とした論理があります。二十世紀になってから世界中で一斉に噴出し始めた困難は、この原理の行き詰まりを意味します。

論理、合理、理性は無論、最重要のものであり断じて否定されるべきものではありません。これを否定することは科学技術を否定することで、文明を否定することで論外です。

ただ、それだけで人間社会を仕切るのは不可能ということが露呈したのです。帝国主義と共産主義の誕生から滅亡への過程で人類は恐ろしい犠牲を払いました。現在は新自由主義の破綻で苦しんでいます。

リーマンショックからギリシア危機、ユーロ危機に至る一連の危機の原因の大半はデリバティブ（金融派生商品）にあります。確率微分方程式というかなり高度な数学を用いた経済理論にのっとった論理の権化と言えるものです。ホリエモンが時代の寵児としてもてはやされていた六年前に拙著『国家の品格』を上梓しましたが、その中で次のように記しました。

「(デリバティブは) 現状では最大級の時限核爆弾のようなものとなり、いつ世界経済をメチャクチャにするのか、息をひそめて見守らねばならないものになっています。しかもなぜか、これに強力な規制を入れることも出来ない。そもそもマスコミはこれに触れることすら遠慮している。このように、資本主義が資本主義の論理を追求していった果てに、資本主義自身が潰れかねないような状況に、だんだんなってきているのです」

エコノミストから大分批判された部分でしたが、その通りになってしまいました。そしてやっと近頃になって、アメリカや欧州で規制が言われ始めています。現在の経済危機はまだまだ続きます。世界は誤った新自由主義による金融不安や不況に苦しめられているものの、未だ各国が打ちのめされていないからです。

人間は一つのモンスターにどっぷり浸っていると、本質が見えなくなるのです。ここ一世紀間に次々とモンスターは破局を迎え人類は悲惨を味わったにもかかわらず、懲りない欧米、特に米英は未だに新自由主義を根本から見直そうとせず、同じパラダイムの中で物事を解決しようとしています。他のパラダイムを持ち合わせないからです。

欧米以外の諸文明に生きる人々は、このパラダイムから適切な距離を置きつつ、自らの文明を少しずつ取り戻すことです。

「効率、能率、便利、快楽、なかんずく富、こそが幸福」と大いなる勘違いをし、それらばかりを求めるグローバリズム。大きくは欧米文明への追随に訣別し、各国はその国柄を大事にすることです。新しいローカリズムです。

とりわけ我が国は、真に誇るべき文明を育んだ国でした。それに絶大な誇りを持ってよいのです。十九世紀に英国人スマイルズは、「国家とか国民は、自分達が輝かしい民族に属するという感情により力強く支えられるものである」（「Character」by Samuel Smiles, 1871）と言いました。祖国への誇りを持って初めて、先祖の築いた偉大なる文明を承継することができ、奥深い自信を持つことができ、堂々と生きることができるのです。アメリカの横暴やロシアの不誠実を諫め、中国の野卑を戒め、口角泡を飛ばし理屈ばかり言う米中に「論理とはほとんど常に自己正当化にすぎないものですよ」と諭すこともできます。世界を動かすシステムに日本の視点から堂々と注文をつけることもできるようになるのです。

「誇り」を回復するために何が必要か

日本人が祖国への誇りを取り戻すための具体的な道筋は何でしょうか。

日本人は「敗戦国」をいまだに引きずり小さくなっています。WGIP（罪意識扶植計画）で植えつけられた罪悪感を払拭することです。そして作為的になされた「歴史の断絶」を回復することです。

すなわち、「誇り」を回復するための必然的第一歩は、戦勝国の復讐劇にすぎない東京裁判の断固たる否定でなければなりません。そして日本の百年戦争がもたらした、世界史に残る大殊勲をしっかり胸に刻むことです。

その上で第二は、アメリカに押しつけられた、日本弱体化のための憲法を廃棄し、新たに、日本人の、日本人による日本人のための憲法を作り上げることです。現憲法の「前文」において国家の生存が他国に委ねられているからです。独立国でなくなっているからです。そして自衛隊は明らかな憲法違反であり、「自衛隊は軍隊でない」という子供にも説明できぬ嘘を採用しなければならなくなっているからです。

国家の主柱たる憲法に嘘があるからです。「嘘があってもいいではないか。戦後の経済発展は軍備に金をかけず経済だけに注力したからではないか」という人もいます。これも真っ赤な嘘です。戦前のドイツ、日本、戦後の韓国や台湾、近年の中国など、毎年GDP比一〇%、あるいはそれ以上の軍備拡大をしながら目覚ましい経済発展を遂げたからです。軍備拡大とはある意味で景気刺激策とも言えますから、むしろ当然なのです。

次いで第三は、自らの国を自らで守ることを決意して実行することです。他国に守ってもらう、というのは属国の定義と言ってよいものです。屈辱的状況にあっては誇りも何もないからです。少くとも一定期間、自らの力で自国を守るだけの強力な軍事力を持った上で、アメリカとの対等で強固な同盟を結ばねばなりません。日米中正三角形論などという戯言に惑わされてはいけないのです。この三つがなされ、日本の心髄とも言える美意識と独立自尊が取り戻されて初めて、ペリー来航以来の百年戦争が真の終結を見るのです。

苦境を克服してこそ高みに達する

日本人の築いた文明は、実は日本人にとってもっとも適しているだけではありません。個より公、金より徳、競争より和、主張するより察する、惻隠や「もののあはれ」などを美しいと感ずる我が文明は、「貧しくともみな幸せそう」という、古今未曾有の社会を作った文明なのです。戦後になってさえ、「国民総中流」というどの国も達成できなかった夢のような社会を実現させた文明です。

今日に至るも、キリスト教、儒教、その他いかなる宗教の行き渡った国より、この美感を原理としてやって来た日本で、治安はもっともよく、人々の心はもっとも穏やかで、人情や惻隠に溢れ倫理道徳も高いのです。

今度の東北関東大地震でも、このような混乱時にはどこでも起る略奪が極めて少なく、秩序がきちっと保たれていること、冷静にじっと耐える被災者を国民がこぞって助けようとしていること、などは世界中から賞讃されています。原発への放水の際に見せた消防隊や自衛隊の決死的行動は海外の新聞で「ヒーロー」と一面トップを飾りました。「これから原発に行く」とメールで妻に告げた消防隊長に、「日本の救世主になって下さい」と一行の返答が届いたそうです。日本人は、まだ日本人だったのです。

日本人特有のこの美感は普遍的価値として今後必らずや論理、合理、理性を補完し、混迷の世界を救うものになるでしょう。日本人は誇りと自信をもって、これを取り戻すことです。これさえあれば我が国の直面するほとんどの困難が自然にほぐれて行きます。さらに願わくば、この普遍的価値の可能性を繰り返し世界に発信し訴えて行くことです。

スマイルズは前述の書で次のように言いました。

「歴史を振り返ると、国家が苦境に立たされた時代こそ、もっとも実り多い時代だった。それを乗り越えて初めて、国家はさらなる高みに到達するからである」（藤原訳）

現代の日本はまさにその苦境に立たされています。日本人の覚醒と奮起に期待したいものです。

藤原正彦（ふじわら　まさひこ）

お茶の水女子大学名誉教授。1943（昭和18）年、旧満州新京生まれ。新田次郎・藤原てい夫妻（共に作家）の次男。東京大学理学部数学科卒業、同大学院修士課程修了。コロラド大学助教授、お茶の水女子大学理学部教授を歴任。78年、『若き数学者のアメリカ』で日本エッセイスト・クラブ賞、2009年『名著講義』で文藝春秋読者賞受賞。主著に『国家の品格』『決定版　この国のけじめ』『天才の栄光と挫折』などがある。

文春新書

804

日本人《にほんじん》の誇《ほこ》り

2011年（平成23年）4月20日　第1刷発行
2011年（平成23年）4月25日　第2刷発行

著　者　　藤原正彦
発行者　　飯窪成幸
発行所　　株式会社 文藝春秋

〒102-8008　東京都千代田区紀尾井町3-23
電話（03）3265-1211（代表）

印刷所　　理想社
付物印刷　大日本印刷
製本所　　大口製本

定価はカバーに表示してあります。
万一、落丁・乱丁の場合は小社製作部宛お送り下さい。
送料小社負担でお取替え致します。

ISBN978-4-16-660804-1

◆日本の歴史

日本神話の英雄たち　林 道義
日本神話の女神たち　林 道義
ユングでわかる日本神話　林 道義
古墳とヤマト政権　白石太一郎
一万年の天皇　上田 篤
謎の大王 継体天皇　水谷千秋
謎の豪族 蘇我氏　水谷千秋
謎の渡来人 秦氏　水谷千秋
女帝と譲位の古代史　水谷千秋
孝明天皇と「一会桑」　家近良樹
四代の天皇と女性たち　小田部雄次
対論 昭和天皇　原 武史 保阪正康
昭和天皇の履歴書　文春新書編集部編
昭和天皇と美智子妃 その危機に　加藤恭子 田島恭二監修
皇族と帝国陸海軍　浅見雅男
平成の天皇と皇室　高橋 紘

皇位継承　高橋 紘 所 功
美智子皇后と雅子妃　福田和也
ミッチー・ブーム　石田あゆう
天皇はなぜ万世一系なのか　本郷和人
皇太子と雅子妃の運命　文藝春秋編
戦国武将の遺言状　小澤富夫
江戸の都市計画　童門冬二
江戸のお白州　山本博文
徳川将軍家の結婚　山本博文
江戸城・大奥の秘密　安藤優一郎
幕末下級武士のリストラ戦記　安藤優一郎
旗本夫人が見た江戸のたそがれ　深沢秋男
徳川家が見た幕末維新　徳川宗英
伊勢詣と江戸の旅　金森敦子
甦る海上の道・日本と琉球　谷川健一
合戦の日本地図　武光 誠 合戦研究会
大名の日本地図　中嶋繁雄
名城の日本地図　西ヶ谷恭弘 日竎貞夫

県民性の日本地図　武光 誠
宗教の日本地図　武光 誠
高杉晋作　一坂太郎
白虎隊　中村彰彦
新選組紀行　中村彰彦 神長文夫
岩倉使節団という冒険　泉 三郎
福沢諭吉の真実　平山 洋
元老 西園寺公望　伊藤之雄
山県有朋 愚直な権力者の生涯　伊藤之雄
渋沢家三代　佐野眞一
明治のサムライ　太田尚樹
日露戦争 勝利のあとの誤算　黒岩比佐子
鎮魂 吉田満とその時代　粕谷一希
旧制高校物語　秦 郁彦
日本を滅ぼした国防方針　黒野 耐
ハル・ノートを書いた男　須藤眞志
日本のいちばん長い夏　半藤一利編
昭和陸海軍の失敗　半藤一利・秦郁彦・平間洋一・保阪正康・黒野耐・戸髙一成・戸部良一・福田和也

あの戦争になぜ負けたのか　半藤一利・保阪正康・中西輝政・戸高一成・福田和也・加藤陽子
二十世紀日本の戦争　阿川弘之・猪瀬直樹・中西輝政・秦　郁彦・福田和也
零戦と戦艦大和　半藤一利・秦　郁彦・前間孝則・鎌田伸一・戸高一成・江畑謙介・兵頭二十八・福田和也・清水政彦
十七歳の硫黄島　秋草鶴次
指揮官の決断　満州とアッツの将軍　樋口季一郎　早坂　隆
硫黄島　栗林中将の最期　梯久美子
特攻とは何か　森　史朗
銀時計の特攻　江森敬治
帝国陸軍の栄光と転落　別宮暖朗
帝国海軍の勝利と滅亡　別宮暖朗
日本兵捕虜は何をしゃべったか　山本武利
幻の終戦工作　竹内修司
東京裁判を正しく読む　牛村　圭・日暮吉延
昭和史の論点　坂本多加雄・秦　郁彦・半藤一利・保阪正康
昭和の名将と愚将　半藤一利・保阪正康
昭和史入門　保阪正康
対談　昭和史発掘　松本清張
昭和十二年の「週刊文春」　菊池信平編

昭和二十年の「文藝春秋」　文春新書編集部編
「昭和80年」戦後の読み方　中曾根康弘・西部邁・松井孝典・松本健一
誰も「戦後」を覚えていない　鴨下信一
誰も「戦後」を覚えていない［昭和20年代後半篇］　鴨下信一
誰も「戦後」を覚えていない［昭和30年代篇］　鴨下信一
ユリ・ゲラーがやってきた　鴨下信一
戦後10年　東京の下町　京須偕充
評伝　若泉敬——愛国の密使　森田吉彦
米軍再編と在日米軍　森本　敏
一九七九年問題——同時代も歴史である　坪内祐三
プレイバック1980年代　村田晃嗣
シェーの時代　泉　麻人
昭和の遺書　梯久美子
父が子に教える昭和史　福田和也ほか
歴史人口学で見た日本　速水　融
コメを選んだ日本の歴史　原田信男
閨閥の日本史　中嶋繁雄
名前の日本史　紀田順一郎

名字と日本人　武光　誠
日本の童貞　渋谷知美
日本の偽書　藤原　明
明治・大正・昭和　30の「真実」　三代史研究会
明治・大正・昭和史　話のたね100　三代史研究会
真説の日本史　365日事典　楠木誠一郎
日本文明77の鍵　梅棹忠夫編著
「悪所」の民俗誌　沖浦和光
旅芸人のいた風景　沖浦和光
貧民の帝都　塩見鮮一郎
史実を歩く　吉村　昭
手紙のなかの日本人　半藤一利
平成人（フラット・アダルト）　酒井　信
「阿修羅像」の真実　長部日出雄

（2011. 3）A

◆こころと健康・医学

◆考えるヒント

文春新書好評既刊

塩野七生
日本人へ　リーダー篇

ローマ帝国は危機に陥るたびに挽回した。では、今のこの国になにが一番必要なのか。「文藝春秋」の看板連載がついに新書化なる
752

塩野七生
日本人へ　国家と歴史篇

ローマの皇帝たちで作る「最強内閣」とは？とらわれない思考と豊かな歴史観に裏打ちされた日本人へのメッセージ、好評第2弾
756

原武史・保阪正康
対論　昭和天皇

軍部や弟宮との関係、自ら詠んだ和歌、植民地統治のあり方、声や挙動、そして帝王学——現代史を体現する昭和天皇の実像に迫る！

403

梯《かけはし》　久美子
硫黄島　栗林中将の最期

硫黄島総指揮官・栗林とバロン西に何が起きたのか。そして平成に、声を失った皇后が訪れたとき奇跡が起きた。『散るぞ悲しき』完結篇
761

浅見雅男
皇族と帝国陸海軍

天皇の「藩屏」たる皇族は、なぜこぞって軍人になったのか。軍功、出世、スキャンダルなど、明治から大東亜戦争までの軌跡を追う
772

文藝春秋刊